陰魂不散

衛斯理著

《陰魂不散》內容緊接《禍根》及《大祕密》，即衞斯理作品系列七十九。

倪匡（衞斯理）

勤十緣出版社　同啟

一九九二年五月

自序

「陰魂不散」這個故事，接「禍根」，也接「陰差陽錯」，甚至和「圈套」、「烈火女」都有聯繫。這已成了衛斯理故事的特色——既然有固定的人物，自然也產生了可以銜接的故事。

但，當然，每個故事還是獨立的，至少，單看這一個故事，也要使人看得明白，看得明白了，才能看出味道來，這是很淺顯的道理。

結尾處，紅綾打開門見到了曹金福，衛斯理和白素開懷大笑，那是天下父母心，很少有例外的。

倪匡

一九九二・三・三

又，為了一個美麗的女人而定下了那麼可怕的陰謀，不算誇張。「衝冠一怒為紅顏」，甚至寫下了異族統治中國超過二百年的歷史。

可怕得很——當然不是說美女可怕，請勿誤會。

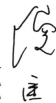

目錄

（一）從「野人」到「超人」

在離開藍家峒之前，有幾件小事，需要記述一下，因為這些小事，在日後都有不同程度的擴展。

小事在很多情形下會擴展成為大事，就像我無意之中說了一句「老十二天官的事作不得準了」，結果就衍化成了兩個故事。

小事之一，是在焚化兩頭銀猿的屍體之前，有一場小小的討論。

兩頭靈猿，其中的一頭，天靈蓋已被打開，發現了牠的腦上，罩着一個如同髮網也似，結構十分細密的一個金屬網，而且，還有很多深入腦部的，極細的金屬絲，和網連在一起。

我們對這種怪異的情形，已經有過假設。假設是：那是外星人進行的一種手術，替靈猿裝了這樣裝置的目的，是通過預先設定的程式，影響靈猿的腦部活動，使靈猿按照程式所預定的規律，進行活動。

把這種程序設定在活生生的生物的腦部，聽來有點駭人聽聞，但同樣的情形，即使是科學並不發達的地球人，也早已運用在由電腦控制的機械人身上了。

爭論是：是不是要把另一頭猿猴的天靈蓋也打開來？

照推測，另一頭銀猿的腦部，必然有着同樣的裝置，若單是為了證明這一點，那大可不必了。

可是我却另外有一個想法——那種裝置，既然假設是一種影響腦部活動的「程式」，那麼，是不是可以通過什麼特別的儀器，把這程式的內容顯示出來呢？

如果可以的話，就可以知道外星人安裝程式的目的，知道靈猿如何受到了植入程式的影響，由普通的猴子，變成了「神仙飼養的靈猴」。

這是一件十分有趣的事。作為研究的需要，有兩副這樣的裝置，自然比一副好得多，所以，我主張把另一頭猿猴的天靈蓋也打開，而且，把兩副裝置（連着許多細絲的網），小心取下來。

其餘人不置可否，反對的是紅綾。

紅綾才一看到那頭靈猴的天靈蓋被打了開來，就有相當程度的震動。

但是她總算明白，靈猴早已死了，所以她忍住了沒有說什麼，直到聽到了我要把另一頭銀猿也依樣葫蘆，她才反對：「不必了吧，都是一樣的。」

我向她望去，走過去，握住了她的手，先向她敍述了我們對這個「網」的假設。

一開始，我還以為那是一個十分艱難的任務——要使紅綾明白這種在生物的腦部植入程式，驅使生物按照程式的規定來活動，這樣的設想，很是超時代，要紅綾明白、接受，自然不是容易的事。

可是出乎我意料之外，我才把假設提了出來，紅綾就理所當然地點頭：「是，當然是這樣，那就是……神仙……你們叫……外星人？都一樣，那就是神仙的委托，委托牠們照顧我，把我當作是牠們自己的孩子一樣，我就是靠了這種委托長大的。」

雖然她把外星人稱為「神仙」，又把植入的程式稱為「委托」，可是倒也確切之極。

一時之間，不但我極之愕然，連在一旁的白素和鐵天音，也立時用十分駭異的目光，向紅綾望去。

紅綾笑了起來：「覺得奇怪？」

她的性子很直，絕不會說話吞吐，賣什麼關子，所以她問了之後，不等我們有反應，她又呵呵笑了起來，伸手拍打着自己的頭部：「媽媽的媽媽說，她當年莫名其妙，把我帶到苗疆去，嗯……嗯，她說什麼……總之是白過了很多年的意思——」

白素也走過來握住了她另一隻手：「是不是『蹉跎了歲月』？」

紅綾手舞足蹈，連帶得使我和白素，看來也像是跟着她在跳舞一樣（因為我們都握住了她的手），她叫道：「是，就是這句話，媽媽的媽媽……有時說的話，不是很叫人懂。」

白素喜容滿面：「她又怎麼說？」

紅綾道：「她說，要補救。所以，把許多我早該知道的事，許多我不知道，連你們也不知道，可是她知道的事，都教給我，使我知道。」

我和白素聽了，都又驚又喜，我失聲道：「那得多久？你要離開我們？」

紅綾先是呆了一呆，不明白我的意思——她若是要跟她的外婆去學習知識，那豈不是又要離開我們？說不定學呀學的，連她也變成了外星人，那對我們來說，可是得不償失了（父母有時，也頗為自私）。

所以我才有此一問。

紅綾一開始不明白，可是立刻明白了，她側着頭，擺出一個很是可愛的姿態，擺脱了我們的手，雙手拍打着她自己的腦袋：「已經完成了，她把我該得的知識，全都輸入了我的腦子中。」

一時之間，我、白素和鐵天音三人，連呼吸都停止了，只是怔怔地望着她。

自然，外星人傳授知識的方法，絕不必像地球人那麼笨，一個字又一個字地教，一條公式又一條公式地死記硬背。他們可以對人的腦部的記憶儲存部分，作直接的輸入！一下子就把知識化為記憶，使得一個野人，可以立刻變成一個無所不知的超人！

我和白素一直都把紅綾「遇仙」，當成是好事，是幸事，可是也絕想不到，竟然好到了這種程度！

紅綾也想不到我們的反應，會如此強烈，一時之間，不知如何才好。

倒是鐵天音先打破沉默，他叫了起來：「天！你是說，現在你的知識，和外星人一樣了？」

紅綾回答得很嚴肅：「媽媽的媽媽說，她已把一切都輸入了我的腦子，可是有許多知識，我現在還不能了解，也不能運用，一定要通過一個『消化過程』，才能變成我的真正知識——這個過程可能要很久，要看我是不是肯努力。再說，我做野人太久了，不一定有興趣急於去掌握那些知識，我也覺得她說得對。」

紅綾一個人在侃侃而談，我、白素和鐵天音三個人，像是儍瓜一樣地看着她。

我和白素尤其不知如何反應才好——後來我和白素談起當時的情形，白素也大是感嘆：「事不關心，關心則亂。忽然之間，知道了自己的女兒，竟然承受了可以說在地球上再也無人能及的知識，真的不知該如何才好，本來，準備花上二十年，或者更長的時間，希望能把她帶領進文明世界之中，可是如今，她已經站在文明世界的最尖端，當時心中固然高興，可是同時想到的，却是不知道那是福還是禍，真不知該如何才好！」

白素把當時的心情，說得很是生動，我的情形，和她全然一樣。

只有鐵天音，雖然也一樣驚愕之至，可是他至少還能活動，不像我們，像是遭到了雷殛。不過，他的情形，也好不了多少，他伸手指着紅綾，大失常態，一叠聲地道：「你……你……你……」

紅綾笑嘻嘻地望定了他：「天音大哥，你可是想問我些什麼？」

看鐵天音的神態，自然是想向紅綾問些什麼，可是由於他想問的問題實在太多，都堵在喉嚨裡，一下子問不出來，在喉際發出了一陣古怪的「咕咕」聲，雙眼也有些翻白。紅綾反倒安慰他：「隨便問一個，嗯，問一個你認為我絕不可能知道的。」

鐵天音看來正有此意，所以紅綾一提醒，他先是發出了一下怪叫聲，然後，極急速地提出了一個問題。

他那個問題，是用德語提出來的——這很自然，他在德國受教育，德語是他使用的基本語言。

他說得又急又快，我一時之間，沒能聽得明白——當然也由於他的問題之中，有很多是科學上的專門名詞之故，我只聽明白了問的好像是什麼「硝化作用」和「合成的能的來源」之類的事。

當時，我不禁皺了皺眉，第一個想到的是：紅綾怎麼聽得懂德語？繼而立即想到，她的外婆既然把許多知識都「輸入」了她的腦部，自然也包括了地球人所使用的語言知識在內。別說德語在地球上有很重要的地位，只怕連中國四川的土話，和南美洲印地安部落的語言，也全在紅綾的腦袋之中了！

繼而，我又想到，鐵天音的這個問題，一定專門之至，連我都沒有聽懂，紅綾能答得上來？我竟然大有怕女兒難以應付的緊張心情。

看來白素的想法，也和我一樣，她在那時，伸手向我握來，手涼得很。

紅綾聽了鐵天音的問題之後，大眼睛眨了兩下——她的眼中，一點不誇張，充滿了智慧的光芒，她略抬了抬頭，應聲吐出了答案，說來清楚之極，我每一個字都聽得明白，但是對內容，卻截然不解。

她說的是：

「$2NH_3+3O_2 \rightarrow 2HNO_2+2H_2O+158k\ cal$」

我不知道她說的是什麼，立刻向白素望去，白素也搖了搖頭，我只看到鐵天音在剎那之間，像是傻了一樣，張大了口，一句話也說不出來。

紅綾笑：「天音大哥，我腦中這種古怪的東西太多，總算一下子就可以理出來，可是我一點也不知道那有什麼用。嗯……那是……公式？顯示亞硝酸菌把土壤中有機物分解而產生亞硝酸的氧化過程？」

值得一提的是，紅綾對那個公式的解釋，也是以流利的德語說出來的。

鐵天音的反應，很出人意表，他陡然發出了一下號叫聲，接着，雙手抱住了頭，整個人，在牆上重重地撞着。

苗人的屋子，都是竹子搭出來的，牆也是竹子的，給他大力一撞，搖晃着，發出可怕的聲音。

紅綾雖然已是上通天文，下識地理，可以說是無所不知的超人了，可是對於鐵天音何以忽然會有這樣的反應，却也惘然，她向我們望來，想尋求答案。

這答案，自然要鐵天音自行揭曉，他一面撞牆，一面喘着氣：「真是太不公平了！太不公平了！」

我皺着眉，一時間仍然不知是什麼意思，可是白素已沉聲道：「你該想想她十多年當野人的日子！」

經白素這樣一提，我才恍然，鐵天音是由於紅綾忽然有了這樣的成就而產生了極度的欣羨和妒嫉！

這實在是難免的，就像是普通人忽然知道了同伴中了巨額的彩金一樣——很庸俗，但是卻是簡單明瞭的比喻。

鐵天音至少化了十年的時間，才在專業知識的領域之中，做了醫生，可是紅綾在剎時之間，在醫學上所知之多，只怕超過了他十倍、百倍！

所以他才有那麼強烈的反應！

而白素的話，自然是在安慰他：紅綾是先有了巨大的「失」，才有了非常的「得」，凡事，得和失總是相應的！

鐵天音很快安靜了下來，伸手在臉上抹了一下：「我的童年、少年，只有比做野人更糟！」

白素的聲音很平靜——她可能是藉此要鐵天音也變得鎮定，她道：「每個人的命運都不一樣，有極悲慘的，有極幸運的，無法預測，無法解釋。自古以來，人類就為這種情形迷惑，結果歸納出一句無可奈何的話來——」

她說到這裡，向我望了過來，顯然是想我接下去，說那句話。

我有點不情不願，但是還是把那句話一字一頓地說了出來：「各有前因莫羨人！」

白素把這句話重覆了一遍，然後，望定了鐵天音。鐵天音的神情惘然，喃喃地道：「前因……前因……」

白素曾把這句話形容成「無可奈何」，我也有同感。由於人的命運是如此不同，而為什麼大家都是人，會有的人悲慘，有的人幸運，全然無可捉摸，就只好歸於「前因」，可是，「前因」又是什麼呢？是以前的行為，這「以前」，又可以追溯到什麼時候？前生？再前生，還是一切全都在這一生了結？

這是一個很虛無的問題，難以探索，也無從探索。

而我剛才，接白素的話，很有點不情不願，是由於我對鐵天音那種過份強烈的反應，很是反感的緣故。

人的一生之中，會有各種各樣的痛苦和悲傷，許多時候，那是外來的力量強加在人身上，是無可奈何的事。但也有一些時候，痛苦是人自己找來的，最普通的情形是由於妒嫉而產生的痛苦。

只要自己不去妒嫉他人，就再也不會有這種痛苦，可是偏偏有些人，會去自己尋找痛苦，這豈不是幼稚之至的行為？

像鐵天音那樣，由於紅綾有了非凡的遭遇，所以他內心就妒火如焚，痛苦莫名，這就不是一個成熟的人所應有的行為——紅綾的所得，又不是取自他的身上，不論以後有得或有失，對他來說，一點損失也沒有，他沒來由地痛苦什麼？

所以，白素在安慰他的時候，我很不以為然，若不是想到我才憑自己的判斷，把他的行為設想得十分不堪，所以才沒有出聲去諷刺他。同時，也只好歸咎他童年和少年的生活，正處於那場大瘋狂之中，所以形成了他心理上的不正常。

鐵天音很快就恢復了鎮定，他伸手抹去了臉上的汗，沉聲道：「對不起，我失態了！」

紅綾雖然這時可以說是「學貫天人」了，可是人情世故這一類事，不屬於知識範疇之內，是要用另外一部分的智能去體會的，而紅綾，以她的性格而論，只怕再也難以學得會和弄得明白的了。

所以，她眼睜睜地望着鐵天音，問：「鐵大哥，你不舒服？」

鐵天音笑了一下，他臉上雖然還是濕的，但是已完全平靜了下來，他道：「若是你對靈猴腦部的裝置，有可以令我們明白的解釋，我們就不必去解剖另一頭銀猿了！」

紅綾應聲道：「和爸說的一樣，那是……神仙把一些預先設定的程式，通過裝置，不斷影響靈猴的腦部，使牠們的行為，照程式進行——靈猴曾教我許多許多在山野生活的技能，看來多半是那裝置的作用。」

剛才我還在向她解釋，唯恐她不明白，但現在，我掉過頭來要問她：「把這裝置取下來，是不是可以通過什麼儀器，知道那是一些什麼程式？」

紅綾搖頭：「不能，除了靈猴之外，同樣的裝置，放在其他猿類的腦部，也起不了同樣的作用。人……生物的腦部結構太複雜了。媽媽的媽媽說，我的腦中雖然已吸收儲存了那麼多知識，可是那只是我腦能力的百分之一，若是我願意——」

我不知道為什麼，忽然激動起來，高舉着手：「不！够了，不必再增加了。而且，如果你不想太用腦，那些知識，就讓它放在那裡好了，不用也罷，甚至想也不必去想它們！」

我這樣說了之後，也不理白素是不是會反對，吸了一口氣，又補充道：「像你剛才順口就說出來的那個公式，十萬個人之中，也不見得有一個人懂那是什麼意思，沒有用處的，放在腦中好了。」

出乎我意料之外，白素並沒有反對我的話，只是不出聲。事後，她才道：

「哪有這樣教孩子的，叫她把知識收起來別用！」

我苦笑：「她的知識太多了，一一應用，她哪裡還會有人生樂趣，我只希望她是一個快樂的人，可不想她當什麼超人！」

白素笑了起來：「意見一致——我的意思是，紅綾的意見，也完全和我們一致！」

老實說，我着實擔心了好一陣子，但後來事實證明，大量的知識，並沒有影響她的性格，她的行為，她還保持女野人的本色，快樂又開朗。只是有時，她會忽然半晌不出聲，獨自沉思，也不知道在想些什麼，這是以前不會有的情形。

但既然人與人之間，絕無法知道另一個人在想的是什麼，那是自然現象，只好聽其自然了。

卻說紅綾認為我們不能在那種裝置中獲得任何資料，大家都相信了她，所以就沒有再去解剖另一頭銀猿。把兩頭銀猿搬出去火化，紅綾一直守在火堆之旁。

在才一看到銀猿被人射殺時，紅綾曾很是傷心，問了好多次「為什麼」。現在她知道銀猿的死因，和鐵天音雖有關係，但是決不能怪責鐵天音，她沒有再說什麼。她守在火堆邊，火花映在她的臉上，閃爍不定，使她看來，在活潑之中，另有一股成熟感。

她的傷感情緒也沒有維持太久，等焚化了銀猿之後，她一聲呼嘯，帶着一群猴子，把骨灰包成一包，離開了藍家峒，不多久就回來，也不知道她把骨灰灑向何處，而看來她也很是灑脱，並沒有什麼悲戚。

這件事算是就這樣算數了。

小事的第二件，是白素拉了我，一起問紅綾：「那山洞的後半部，是外星人的基地，你是可以隨意出入的了？」

紅綾道：「是，可是那裡面已沒有什麼再值得我常去的了！」

白素遲疑了一下：「在那處，我看到了我的媽媽，那是一種立體傳真……

立體電視投影，是不是可以通過什麼設備，把它記錄下來。」

紅綾指着自己的腦袋：「當時的情景，不是全都成了我們的記憶了嗎？」

白素道：「是，可是我還想把這種情形，給其他的有關的人看，例如你的舅舅，你的外公！」

紅綾搖頭：「媽媽的媽媽曾特別囑咐過，說是不必了，最好，在……外公面前，提都不要提！」

白素的媽媽，陳大小姐的脾氣很怪，至少很是「扭」，這一點，我們是可以肯定的，但想不到她已成了「神仙」，仍然如此固執，對當年的誤會，如此不能釋懷，這也真是難以理解之至了！

白素默然不語，我低聲道：「見到了老人家，可以告訴他實情。」

白素嘆了一聲，沒有說什麼——後來，遇到了白老大，情形却又出乎我們的意料之外，下文立即就有交代。

紅綾看到白素沒有再堅持，她也像是鬆了一口氣。

這時，我們已沒有必要再留在苗疆，已經準備明早離去，當然，鐵天音向我和白素提出了一個問題，成為第三件小事。他問：「注意到了龍天官沒有？」

他口中的龍天官，自然是現在十二天官中的龍天官。在知道了龍天官必須有特殊的身分之後，這次再見十二天官，我也對龍天官加以特別的注意——自然是不着痕跡的留意。

那龍天官身子矮小，其貌不揚，很是普通，而且木訥得很，絕少聽到他講話，總是隨衆行動，別的天官，對他也沒有什麼特別的恭敬。

我當然無法去探明他的來歷是屬於什麼天皇貴冑，所以聽得鐵天音這樣問，我立時反問：「你注意了?有什麼發現？」

鐵天音搖頭：「沒有，他好像也是自小在峒中長大的苗人，看來，老十二天官在挑選傳人時，已經放棄了原來的傳統。」

我同意：「是，而且，看來現在的十二天官，根本不知有那個傳統——這個傳統記載在記錄之中，他們根本看不懂記錄！」

二、祖孫相見歡

鐵天音很是感嘆：「是啊，老十二天官連地球人的身分都可以放棄，還維持什麼傳統！」

接着，他又嘆：「從地球人到外星人，我相信，古代許多記載中的『升天』、『成仙』，就是這麼一回事，想不到十二天官竟然能有此奇遇！」

我冷冷地道：「很值得眼紅嗎？在我看來，做地球人，也沒有什麼不好。十二天官，和陳大小姐，轉換了生命的形式，在我看來，很有點『遁入空門』的味道，並不是他們真正的選擇——如果他們的生活之中不是有那麼大的挫折，他們未必不想做地球人！」

鐵天音仍然感嘆：「有太多的地球人，在遭到挫折時，無路可走，他們總算是極度幸運的人！」

我發覺在這一方面，很難和鐵天音再深入討論，所以我沒有再說什麼，只是道：「性格不同的人，看問題的方式，也自然不同。」

鐵天音也沒有再說什麼，過了一會，他才道：「我總算也間接和外星人有過接觸了！」

當晚，紅綾又和十二天官以及峒中的壯士，喝酒喝得天昏地黑。峒主也遵守諾言，送了一大綑，二十竹筒的酒給她。

這時的紅綾，對於這種土酒的化學成分，可以用極複雜的分子式列出來，但是她顯然只專注於酒會給她帶來的歡樂——這正是使我感到欣慰之處。

最大大鬆了一口氣的應該是白素，本來她有一整套的對紅綾的教育計劃，準備在「自修」三五年之後，送紅綾進大學去接受高深的教育。但現在，全世界的大學知識加起來，只怕也及不上紅綾腦中所擁有的了。這一點對我來說，更是如同做夢一樣。白素和紅綾母女二人，由此而可能產生的衝突，自然再也不會發生。

不過白素却有點爽然若失，因為她的精心計劃，全都落了空。我取笑她說：「你還是可以按部就班地訓練她，她也會乖乖地聽着。」

白素嗔怒：「好笑麼？」

嚇得我不敢再說什麼——當然，紅綾有了這樣的成就，她也是很高興的。

在駕駛直升機離開藍家峒的時候，白素提出來：「孩子，你現在擁有的知識，已經足以驚世駭俗，但是你不必炫耀，到處賣弄。」

紅綾驚訝道：「我有嗎？我沒有啊，我也不覺得那有什麼了不起！」

我明白白素的意思，所以特別叮囑鐵天音：「紅綾的情形，最後盡少人知道，以免破壞了她喜歡的生活！」

鐵天音點頭：「我明白，不過，其實也沒有什麼力量可以影響紅綾過她自己喜歡的生活。」

我想了一想，也覺得鐵天音的話很是有理，看着紅綾，我真有心滿意足之感。

到了機場，把直升機交給了陳耳——這位當地警官成了我們來往苗疆的最佳中間站，藍絲來到了之後，自然會駕機到藍家峒去。

在航程中，鐵天音成了首位「破壞」紅綾固有生活方式的人，他向紅綾提出了許多醫學上的問題，兩人密密地討論着，問題專門之極，我和白素，只能聽懂三四成，自然無法插言。

說着，紅綾忽然道：「你要追求人體的奧秘，我提議你參加勒曼醫院的工作。」

鐵天音悶哼了一聲：「那醫院……中全是外星人，我怎能插得進去？」

紅綾道：「有許多外星人，也有許多地球人，爸和他們熟，可以推薦你去！」

鐵天音大是嚮往：「到勒曼醫院去，當一個練習生助手，也是好的。」

我心想，鐵天音這個人，行事的方式很怪異，倒真的適宜到與世隔絕的勒曼醫院去工作。所以我道：「好，我替你設法。只是一入勒曼醫院，你去探望老父的機會就少多了！」

鐵天音笑：「事在人為，只要是自己願意做的事，總可以做得成的！」

後來，我問紅綾：「你怎麼知道勒曼醫院？」

紅綾的回答是：「那是宇宙生物研究地球人生命的中心，各星體都有代表在內工作，我自然知道。」

她的言下之意，是那種外星人已有代表在勒曼醫院，紅綾竟然可以與聞這樣的「宇宙事務」，這更令我為之興奮不已。

下了機，鐵天音告辭離去，在分手之前，我巴考慮了相當久的一番話對他說了，我道：「別再利用你的關係去和權勢打交道了，好好的乾淨人，何必去淌這種渾水！」

鐵天音聽了，深深吸了一口氣，我也不知道他是不是聽得進去。

自然，聽不聽在他，勸我總是要勸的，因為我的而且確，認為那種權勢，藏污納垢，骯髒之至，有人性中的一切醜惡，和人性的美好面全然背道而馳！

到了家門口，紅綾一步跨向前，大力去按門鈴，一面放開喉嚨叫：「老蔡！老蔡！」

這時，她雙脅之下，各挾了十筒酒，造型怪異趣致。

出乎意料之外，門很快就打開，就像老蔡本來就站在門旁一樣。

我和白素都知道老蔡的行動，斷然不能如此敏捷，所以門一打開，我們就知道，屋中必然有一些不尋常的事發生了。

我和白素都是一樣的心思，一起伸手去拉紅綾，可是紅綾的動作快，一邁腿，已經跨了進去。

我和白素異口同聲：「小心！」

在紅綾才一跨進去時，我看得很清楚，門雖已打開，可是一眼看去，並看不見有人——這也是為什麼我出言警告的原因。

可是，就在紅綾一步跨進去時，眼前一花，一條高大魁偉的人影一晃，也不知他是從哪裡閃出來的，一下子就攔在了紅綾的面前。

紅綾在大踏步前進，勢子何等急驟，那人突如其來出現，她雖然及時止步，不致和那人相撞，可是兩個人之面，距離也已極近，幾乎是鼻子對鼻子了！

一切都發生得快絕，紅綾才一站定，在她對面的那人，雙手揚起，已搭住了她的肩頭。那人的動作極快，紅綾未能躲得過去，她發出了一下怪叫聲，也揚起雙手，搭向對方的肩頭。

她的脅下共挾了二十竹筒來自苗疆的美酒，這一下動作，令那二十筒酒，一起落下地來，在地上亂滾，發出巨大的聲響，加上紅綾的怪叫聲，和那人的怪笑聲，屋子之中，充滿了驚天動地的氣勢。

我和白素在這時，也已跨進了屋子，同時，也看清了那突然出現的人，銀髮銀髯，目光炯炯，膚色紅潤，當真是童顏鶴髮，如同圖畫中的神仙一樣，卻不是白素的父親的白老大是誰！

一看清了突然出現的人是白老大，我又驚又喜。喜的是他老人家惠然肯來，可以相聚，樂何如之。驚的是紅綾沒有見過他老人家，她行事之莽撞，白老大來得突然，只怕會起誤會。

我剛想出言警告，可是白素用力握了一下我的手，示意我不必出聲。

我向前看去，只見紅綾和白老大，面對面站着，各自的雙手，搭在對方的肩上，紅綾的身子，竟和白老大一樣高，兩人鼻尖相距，不過十公分，在這樣的近距離中，無法看清對方的臉面，所以他們又各自頭向後略仰，以便看清對方。

兩人互望着，一個叫道：「啊哈」，一個叫：「嗯哼」，紅綾先開口，她一面說，一面還用力搖着白老大的身子，白老大也由得她搖。紅綾嚷着：「我知道你是誰，你是媽媽的爸爸！」

白老大笑得聲震屋瓦，也嚷道：「我也知道你是誰，你是女兒的女兒！」

「媽媽的爸爸」和「女兒的女兒」，這是何等親密的血緣關係，兩人各自發出驚人之極，包含了原始的歡樂的叫聲，擁在一起，互相拍打着對方的背部。這種情景，令人心中發熱，我忽然想起，剛才我若是叫了一句：「這是外公，不得無禮」，那是多麼煞風景的事。

我握着白素的手，向前走去，白老大向我望來，這個一生豪邁的好漢，雙眼之中，居然大是潤濕，望向我們，白素忙道：「爸，盡在不言中！一切都好！太好了！」

白老大和紅綾分開，又互相打量着，忽然異口同聲說了一句：「正應該是這樣子！」

紅綾說着，竟伸出大手來，先抓了一下白老大的鬍子，又伸手去摸白老大那滿頭銀髮，神情又感興趣，又是親切。我和白素不禁齊聲驚嘆，在人類，尤其是東方人的行為之中，紅綾的動作，是不能被容忍的。

不過我們也止於驚嘆，因為白老大不是普通人，尋常禮法，豈是為他而設，他性格中的狂野部分，只怕絕不會低於紅綾這個「野人」。

果然，他一點不以為忤，笑得更歡，也拍打着紅綾的頭，看來他除了歡笑，在那一剎間，已喪失了語言的能力。

擾攘了好一會，我們才發現還有一個人在，那是老蔡，他站在一旁，雖是滿面喜容，可是却在抹淚。

白老大足尖一挑，挑起一個竹筒來：「裡面裝的像是酒？」

紅綾咧嘴笑：「天下第一好酒！」

白老大伸手拍開了封口，「嘓嘟」喝了一口，大大地吁了一口氣，叫道：「果然是好酒。」

他把竹筒遞給了紅綾，紅綾也喝了一大口，道：「這酒中有三十七種其他酒所沒有的有機酶，造成了舉世無雙的香醇。」

白老大是研究酒的大行家，紅綾的話，本來對他的胃口之至。可是紅綾說得那麼專門，却令他呆了一呆，因為他不知道紅綾已然有了「超人」的學識。

所以，他一時之間，也不知如何應對，向白素望去，白素笑着，一副「你愛怎麼盤問就怎麼問」的神態。白老大的第一個問題就是：「哪三十七種有機酶？」

接下來的十來分鐘，白老大和紅綾之間的對話，足以令世上所有的化學家目定口呆，也足以令得世上所有的酒專家面目無光！

只聽得在紅綾的口中，吐出一個又一個化學專門名詞來，我聽不懂，只知道那是「有機酶」的名字，有的音節長達十幾個，而白老大每聽到一個，就叫出三五種以及七八種的酒名稱來，表示那幾種酒之中，含有紅綾所說的那種物質。

兩人的說話銜接得連半秒鐘的空隙也沒有，說到興起處，白老大鬚髮飛揚，聲音越來越是宏亮，龍行虎步，不時揮動手掌，呼呼風生。紅綾手舞足蹈，有時一躍而起，有時奔來奔去，雖然只有一老一少兩個人，可是那氣勢，如同千軍萬馬一般。

我和白素在一旁看得目定口呆——後來把這種情景對溫寶裕說了，令得他連連打跌，頗想請白老大和紅綾把當時的情景再「演」一遍，但那豈是造作得來的，當時的一切，全出自天然，這才令人嘆為觀止。

等到紅綾的話告一段落，白老大再大大地喝了一口酒，這才道：「不是說你是一個小野人嗎？怎麼忽然開了這樣的大竅？」

紅綾咧着嘴笑：「是媽媽的媽媽給我的，她給了我很多知識，有許多，地球上沒人懂！」

紅綾的話才一出口，白老大就陡然靜了下來。紅綾說完了話之後，看到她外公忽然走過一邊，佇立不動，也不出聲，不禁有點駭然，向我們望來。

我和白素低聲道：「不關你事。」

白素說着，走到白老大的背後，用很是平靜的聲音，把紅綾和她「媽媽的媽媽」相見的經過，說了一遍。白老大昂着頭，神情漠然。看來像是對白素所說的一切，並不關心。但是我知道，他在用心傾聽，全心全意地傾聽。

等到白素說完，白老大一伸手，紅綾乖巧，立時把竹筒遞了過去。

白老大仰着脖子，連喝了三大口酒，才「嘿」地一聲：「不是人，就沒有人情味，見女兒和女兒的女兒，也要通過傳真裝置。」

白老大的語意之中，對陳大小姐仍然大有不滿之意，那令得我和白素都不敢出聲——我那時心中想：別只說陳大小姐脾氣強，白老大也是一個性如烈火沒有轉圜的，正因這兩個人都有性格上的缺點，所以才使得誤會長期延續下去，沒有轉圜的餘地。

紅綾眼睛骨碌碌地打轉，望着我們，她的知識再豐富，也無法應付這樣的場面。

白素打破了沉默：「爸，你是不是到那山洞去走一次，或許也能有相會——」

白素的話還沒有說完，白老大也一聲轟笑：「不必了，她現在是天上的神仙，我是地上的凡人，仙凡阻隔，互不相干，見來作甚？以後再也不必提起。」

白老大當年和陳大小姐分開，他絕非不傷心——一直到現在，相信他也一樣傷心。可是像白老大這種漢子，自有他那個時代的一種男子漢大丈夫的標準觀念，男女之情，當然重要，但是卻及不上男兒的豪情勝慨，絕不作興向女性作妥協——這種想法，其實很可笑，但卻是那一類江湖豪俠奉為金科玉律的觀念。

白老大的言下之意是：陳大小姐若是念着夫妻的情意，她如今神通廣大，要來相會，何等容易，何必自己萬里迢迢到苗疆去？

當然，陳大小姐也自認是女中豪傑，不肯在異性面前，作一絲一毫的低頭忍讓——他們兩人之間的局面，就是這樣形成的！

當時，白素還想說什麼，我連忙阻止，因為再說下去，老頭子的脾氣一發作，大有可能不歡而散，拂袖而去！

我打岔道：「苗人釀的酒，給你們說得那麼好，我也來湊一腳。」

白老大把竹筒向我拋來，我一面喝，一面把話題拋得更遠：「我知道有人把酒放在一整條蛇中，圍在腰際，隨時可以取來喝的。」

紅綾聽得瞪大了眼，白老大「嗯」的一聲：「那種蛇叫鐵皮蛇，極其罕見，只知道江湖大豪雷動九天雷九天，曾有那麼一條。」

白老大見多識廣，果然非同小可。紅綾一疊聲道：「那能盛酒的蛇，是什麼樣子？」

我把鐵大將軍所說的講了一遍，紅綾聽得十分神往，白老大笑着，捧住了她的頭搖：「小娃子，地球上要學的東西多的是，外星人的那些，放在腦中就算，不必時時去想它們！」

紅綾連聲答應：「是！是！」

我向白素望去，因為白老大的意見，竟和我不謀而合，白素向我作了一個鬼臉。

酒過三巡，白老大再也不提陳大小姐的事，像是沒事人一樣。

後來白素批評她父親：「這種表面上裝着若無其事，把自己扮成是拿得起拋得下的大丈夫，其實內心痛苦，真不知所為何事。」

我感嘆：「這是他們這一代人物的行為準則，令尊雖然非凡，可是却也難以突破時代的局限。」

白素苦笑：「爸是那樣，媽也是那樣！」

我笑道：「一個時代的人，有一個時代的情懷，或許他們認為，維持悲慘，更是纏綿，比大團圓更值得緬懷，叫人一想起來，就迴腸蕩氣，可以借酒澆愁，可以賦詩高歌，可以感懷涕泣！」

白素默然半晌，忽然笑了起來：「這不是自虐狂嗎？」

我輕擁着她：「差不多！」

當然，那只是我們在背後的議論，當着白老大，誰也不敢說什麼——這一點，竟連紅綾也很快就領悟到了，她就再也沒提起過「媽媽的媽媽」，或是一想提及，立刻就住了口。

當晚喝酒直到午夜，四個人都沒有醉意，只是興致更高，白老大在仔細打量了紅綾之後，感嘆道：「這孩子，可以說是天下第一奇人了！」

白素道：「天下之大，無奇不有，有一個女孩子，美如天仙——」

白老大悶哼一聲：「天仙一定很美嗎？我看咱們的孩子，比天仙更美！」

說紅綾比天仙更美，這話，要反駁，倒也很不容易。白素笑了起來：「那女孩叫瑪仙，是女巫之王，掌握着巫術不可思議的力量，而且，也經過外星人的幫助，使她的腦部擁有驚人的知識，極了不起。」

白老大揚了揚眉，欲語又止，只是道：「多一點告訴我這個女巫的事。」

女巫之王瑪仙的事，要三言兩語說，絕無可能，而且，也不是十天八天能說得完的事，有關她的事跡，都記述在許多原振俠傳奇故事之中。

值得一提的是，瑪仙是愛神星人在地球上實驗的「產品」，她和愛神星有着極密切的關係。

而愛神星瀕臨消滅，是宇宙中的一大悲劇，瑪仙率領了一隊取得了新生命的愛神星機械人，在許多外星高級生物的協助下，正在盡力搶救。

這期間，原振俠醫生曾勇敢地離開了地球，闖入不可測的宇宙，去和瑪仙相會。

原振俠在不可測的宇宙航行之中出了意外，情況完全不明，極使人擔心。而瑪仙曾在最近回到地球一次，透露了這一個不幸的消息。

所以，這時，白老大想知道有關瑪仙的事，我就把這一段最近發生的事，說了一說。

白老大聽得很是用心，看來，他問起瑪仙，並不是偶然，而是有備而來的。

這不禁令我和白素，都覺很很奇怪，因為他早已宣稱「晚年唯好靜，萬事不關心」的了，還有什麼事可以再令他「出山」？

難道他來找我們，也不是為了想見紅綾？

我說完了那段經過，白老大問：「愛神星還是……滅亡了？」

我道：「是，根據瑪仙說，是被另一個天體吞掉的，那個天體吞噬了愛神星，情形據說和白血球吞噬了細菌一樣，愛神星人能及時逃生，成為宇宙流浪者的，只有三分之一。」

白老大默然不語，紅綾插了一句口：「愛神星的文明，遠在地球人之上——星體要毀滅，沒有什麼力量可以挽救。」

白老大握住了紅綾的手：「像愛神星這樣的情形，確然難以挽救——」

他這句話，分明只說了一半，但是他又沒有再向下說去，現出一副沉思的神情。白素立時問：「又有哪一個星球，瀕臨死亡了？」

白老大搖了搖頭，嘆了一聲，取過竹筒來（已不知是第幾筒了），大口喝酒，忽然又問：「還有什麼異人，能強過咱們家孩子的？」

老人家忽然起了童心，要把普天下的能人來和紅綾比較，為了逗他高興，我大聲道：「活生生的真人，能和咱們家孩子比的，也就只有瑪仙了。還有一種人，自稱他們的生命，是一種新形式——也就是有了生命的機械人，那自然不能算的。」

白老大駭然：「亂七八糟的，什麼東西？」

三、地球不會甘心死在人類之手

我同意白老大的話：「確然有點亂七八糟，但也必須承認那確是一種新形式的生命，而且能力遠在舊形式的生命之上。」

白老大不明白，目光灼灼地望定了我。我道：「其中的過程，可能複雜之極，可是解釋起來，理論上卻又相當簡單。說起來只是一句話：電腦活了，自行根據資料組織思想，指揮行為，不再聽命於指揮者，那情形，和小孩子長大了，有了自己的主見，不再聽別人的話相類似。」

白老大是明白人，對我所說的那神情形，他自然可以充分理解、接受。

只是他也不免駭然：「竟有這樣的怪物在我們的星球上公然活動？」

我道：「不是『公然』——知道真相的人少之又少，不過他的活動，只對我們的星球有利，我看他比地球人更愛地球，最近，他還痴痴地愛上了一個地球少女。」

白老大像是未曾留意我最後那句話，他大聲道：「說得好！只有地球人不愛地球。地球要是死了，必然是死在地球人的手裡！」

白老大的話甚是難明，也很是駭人，什麼叫「地球死了」？可是他接下來的話更叫人摸不着頭腦，他竟然問：「你們看：地球會心甘情願，讓人殺死它嗎？」

白老大的這個問題，聽來雖然有雷霆萬鈞之力，但是絕對不知所云，所以我們也就只好瞠目結舌，不知如何應付才好。

我相信在那一剎間，白素的想法和我一樣：人到了年紀大了，很容易會有很是古怪的想法，雖然智睿如白老大，也不能免——這是一種很令人傷感的現象，傷感的程度，足以使人默然不語。

可是，紅綾的反應，和我們不同。她在聽了這個問題之後，兩道濃眉的眉心打着結，正在用心思索。

人腦的組織和活動方式，和電腦一樣——或者說，電腦的活動方式，根本是根據人腦的方式來設計的。紅綾的腦中，被輸入了極多的資料，她這時，正在通過腦細胞的活動，在資料中搜尋答案，其過程和電腦搜尋答案是一樣的，只要她的記憶組織之中，有答案，她自然就可以答得出來。不過從她的神情越來越是茫然的情形看來，不像是有答案。

白老大的問題太深奧了！

深奧在他把「地球」當作了一個有生命的物體，所以才會有「地球死了」，「地球會心甘情願被殺嗎」這樣的形容和問題。

老人家問了問題之後，目光炯炯，望着我們，顯然他很是認真，要得到答案。在這種情形下，長久的沉默，會令到氣氛尷尬。

所以我清了清喉嚨，先發表意見：「我在意念上有點模糊——你老人家認為地球……是一種生命？」

白老大十分肯定地點了一下頭，同時，發出了「嗯」地一聲，加強表示肯定。

我欠了欠身子：「地球只是一個生命，那麼這個生命，一定強大無比，除非是像愛神星那樣，遭到了深不可測的什麼天體的吞噬。不然，有什麼力量能殺死它？」

白老大兩道銀眉，揚起又伏下好幾次，看來連他也不知道如何表達他心中所想的才好。

紅綾忽然道：「地球不會死在人的手裡，人至多弄得地球不舒服，使地球討厭人，人沒有力量殺死地球，只能令地球越來越討厭人！」

若不是知道紅綾曾有奇遇，聽得她這樣說，我一定要哈哈大笑了！

可是這時，我沒有笑，只是望着紅綾，表示我不是很明白她的話。

紅綾沒有進一步的解釋，因為白老大已經完全認同了她的話。白老大伸手在腿上用力一拍：「照啊！地球會怎樣對付人？」

紅綾忽然笑了起來，竟然大有幸災樂禍的意味：「有的是辦法！」

白素在這時，居然也加入了他們的討論，她十分嚴肅地發言：「不值得高興，地球的報復，可能極其嚴酷，我們都是人類的一份子，一樣難以倖免！」

我吸了一口氣，趁他們有一個短暫時間的沉默，我迅速轉念，也很快地明白了紅綾那番話的意義——只要略想一想，就可以明白，我之所以剛才一時之間沒有想到，是因於那一番話，是出自紅綾之口的緣故，在我的思想之中，紅綾還是一個小孩子，所以我不會認真去考慮她所說的話，現在仔細一想，自然明白了。

連帶，我也明白了白老大的問題。

白老大的意思是，生活在地球上的五十多億地球人，正不斷在破壞地球，非常努力，其情況一如白蟻在蛀蝕一所木頭建築物。

人類近百年來對地球的肆意破壞，已經很令人吃驚，而更可怕的是，這種破壞，正以幾何級數的速度在增長，所以白老大才有「地球要是死了，必然死在地球人之手」的激烈言語。

而紅綾則加以糾正：人類的破壞行為，不會殺死地球，但是卻會使地球感到極度的厭惡。

白老大問：「地球會心甘情願被殺嗎？」

紅綾的說法是：地球的厭惡累積到了一定的程度，就會設法擺脫人類的破壞。

白素的意見是：地球所採取的擺脫方法，可能極為嚴酷——沒有人可以倖免！

再簡化一些來說，這個題目，可以列入如今正在世界各地蓬勃展開的「環境保護」的範圍之內。尤其是白素所說的「地球的報仇」——確然十分嚴酷，愚昧的人，肆意破壞地球環境的結果，形成了巨大的災害，那災害看來像是自然災害，實際上都是人為災害，這種事情，屢出不窮，絕不陌生。

可是，白老大提出來的問題，顯然要嚴重得多，他竟然提到了「地球死了」和「地球不甘心死」！

我迅速地轉着念，也加入了討論——直到那時，我仍然有很是怪異的感覺，因為一家大小，閒話家常，竟然話出了那麼嚴肅的題目來，那真是很意外的事。

我先舉了舉手，大聲道：「紅綾說得是，人殺不死地球，只能惹地球的討厭。人在肆無忌憚地破壞地球原來的環境，不但地球討厭，同是人類之中，也有許多人，在討厭這種行徑！」

白老大瞇着眼，停了片刻，才道：「結果是一樣的，地球會無法忍受，採取行動！」

我笑着，為了使氣氛輕鬆些，我道：「照你看，地球會採取什麼行動呢？」

白老大瞪了我一眼，像是我這個問題太幼稚了，他向紅綾一指：「舉三個例子。」

紅綾受了委托，興致勃勃：「第一個方法，是抖一抖身子——」

她真的一面說，一面努力抖動她自己的身子，看來很是有趣，而且她說的話，也充滿了稚氣，可是聽下來，卻令人吃驚。

她道：「譬如說，我身上有許多小蟲在爬來爬去，甚至咬得我發癢，雖然不會令我死亡，但是也叫我討厭，我就抖身子，把那些蟲子全抖掉。」

我呆了一呆：「地球抖動身子？」

紅綾道：「是啊，地球的地殼，有許多不穩定的板塊，它只要隨便抖動一下，讓那些板塊移動一下，就可以把身上的蟲子全都埋進地下去，在幾千萬年年之後，變成了煤和石油。」

我聽了，呆了好幾秒鐘，白老大補充：「這種情形，稱之為地震！」

我勉強笑了一下，向紅綾作了一個手勢，示意她舉第二個例子。

紅綾忽然一笑，向她的外公吐了吐舌頭：「要是地軸的角度，稍為調整一下，把原來的六十六度三十三分的角度改變多少，也可以達到目的了吧！」

白老大「啊咯」一笑：「到時南北兩極，首先產生天翻地覆的演變，冰雪融化，水淹大地，估計全地球的陸地要消失十分之九，那時，就是水族的世界了，水族會不會大規模採伐海底森林？會不會製造核污染？」

我和白素互望了一眼，白素低聲說了一句：「倒像是你們兩位並不是住在地球上一樣！」

白老大笑：「我早已活够本了，紅綾總可以逃過這一劫——總有一些人可以逃得過去的，耶和華不是說了十四萬四千人嗎？我看多半就是這個意思了！」

我被他的「理論」，震駭得說不出話來，失聲道：「那是世界末日？」

白老大喝一口酒：「對一直在破壞地球的人類來說，是末日，但不是地球的末日。」

紅綾搶着道：「還有第三個例子，地球可以頑皮一下，離開現在運行的軌跡，譬如說，離太陽遠一些，那麼，冰河時期就重臨了！」

我思緒給他們祖孫兩個的「偉論」弄得紊亂之至，忍不住大聲道：「來來去去，都是使地球重歸洪荒，那樣，對地球又有甚麼好處？」

祖孫二人竟然齊聲道：「大有好處了，地球從此可以得安寧，不再破壞。」

白老大還十分認真地補充：「照現在這樣的情形下去，總有一天，地球會被人類殺死，地球必然不甘心死，會採取措施。」

我伸了一個懶腰：「休息吧，今天大家都喝多了！」

白老大和紅綾互望一眼，白老大有明顯地不屑神情，紅綾則伸了伸舌頭，作了一個鬼臉。明顯地，紅綾和白老大之間，有某種默契，紅綾也不以我的話為然，不過不公然表達而已。

白素問了一句：「爸，最近可是有什麼不尋常的事發生了？」

白素不問，我也會問同一問題，因為白老大在討論那些問題之際，態度很是嚴肅，絕不是凡事都不關心的那種神氣。

白老大站了起來，也伸了一個懶腰，含糊地道：「我也說不上來！」

他這樣說，是確然有一些事發生在他身上的了，可是他又不願說。

我和白素却知道，白老大若是有什麼事不願說的，世上也沒有什麼力量可以令他說出來，所以我和白素，都默然不語。

白老大伸手拍了拍紅綾的頭，又拍了拍白素的頭，再伸手向我，但是沒有拍下，就縮開手去——他對我始終維持一定程度的客氣，這是他為人可愛之處，並不恃老賣老，反而更得人尊敬。

他自顧自上了樓，白素來到紅綾身邊，問：「外公的話，你都明白？」

紅綾想了一想：「不是全明白，但明白。」

紅綾的話，聽來像是有矛盾，但是人們對很多問題，都是那樣子的——不是很明白，可是明白。對一件事，或是一種現象，要「明白」容易，要「很明白」就極困難。

最簡單的例子，是誰都明白一加二等於三，可是要很明白為什麼一加二會等於三，就是數學上極其高深的問題了。對白老大所說的那一些，我也一樣：明白，可是並不很明白。

我們一起上了樓，紅綾一見了她那張繩床，發出了一聲歡呼，一躍而上，舒舒服服躺了下來，白素來到床邊，伸手輕拍了她幾下，她握住了白素的手，不到半分鐘，就已睡着了。

白素輕輕地扳開了紅綾的手指，吁了一口氣，退到門口，我們一起向臥室走去。在推開臥室門時，聽到了白老大的聲音。

白老大的聲音，就在我們身後響起，所以我們自然而然，以為他在我們的身後，轉過了身來。可是我們的身後並沒有人，客房的門也關着——白老大是在房中說話，聲音平靜自然，但是却可以使人聽來，如同他就在身後，真想不到他的氣功之深，已到了如此爐火純青的地步！

我一面由於白老大的功力精純而讚嘆，可是白老大所說的話，却令我心驚。他道：「明天我要去見一個人，也要到處去看看——」

我和白素一起張口，準備說「好，我們陪你」，可是白老大的話已先一步發出來：「你們就不用管了，我會叫紅綾陪我！」

我和白素，不約而同，一起倒抽了一口涼氣，一時之間，面面相覷，說不出話來。

一聽得白老大要「到處看看」，我和白素首先想到的就是我們要陪他，或至少有一個人要陪他。

因為白老大隱居已久，外形和城市已絕不相稱，他銀髮銀鬚銀眉，身形又高大，造型一如漫畫化電影中的角色，走在街道上，惹人注目之至。

而且，他年紀雖大，但是豪氣不減，脾氣更烈，只怕每走上三步路，就有他看不順眼的事發生，他免不了要干涉一下，那已經不知要生出多少事來了！

若是再加上雖然知識豐富比得上大型電腦，但是仍然唯恐天下不亂的紅綾，這祖孫二人，要是率性而為起來，那豈不是天下大亂？

我知道這事可大可小，絕不能就此放過不理，所以我大聲道：「不好吧，我們反正也沒有事——」

一句話沒說完，白老大的語音之中，已經有了慍怒之意：「怕我惹禍？我不提你們的名字就是。」

聽得他老人家這樣說，我更是心中叫苦不迭——因為他像是肯定要闖禍一樣。他要是闖了禍，就算不提我們的名字，就能脱了干係嗎？人説人老了會返老還童，和小孩子一樣，看來有點道理。

我望向白素，向她求教，白素却低聲道：「好，那你們自己小心！」

我大是着急，白素一拉我，不讓我再説話。而且不等我有抗議，就把我拉進了臥室，反倒問我：「你有沒有法子可以使老爺子改變主意？」

我想了一想，據實道：「沒有。」

白素攤了攤手，她的意思很明白：既然沒有法子令白老大改變主意，那再説什麼都是多餘的。

我不禁啼笑皆非：「他要帶了紅綾一起去——」

我本來想説「他要帶了紅綾一起去胡鬧」的，後來轉念一想，未必一定是胡鬧，所以才硬生生收了口。白素看我的神氣，自然知道我原來想説什麼，她瞪了我一眼，才道：「爸像是去見一個什麼人。」

我用力一揮手：「明天，我跟踪他們——萬一他們做出些……驚世駭俗的事來，我已可挺身而出！」

白素沉吟了一下：「好是好，可是給老人家發覺了，他會不高興，叫紅綾發覺了，她會笑自己的父親連跟踪的本領也沒有！」

白素的這幾句話，不由得激發了我的「鬥志」——雖然我已有很久沒有幹跟踪這樣的勾當了，但是出神入化的化裝，神出鬼沒的跟踪，却都是我的拿手本領，倒不可小看了我。

我伸手一拍胸口：「放心，絕不會叫他們發現，別以為我把以前的功夫都擱下了。」

白素似笑非笑地望着我，我心中一動：「你可不能去通風報信。」

白素佯嗔：「你說這種話，就該打！」

我哈哈一笑，笑了一聲之後，忍不住又笑了好一會，白素也和我一起笑——因為事情確然好笑，外公和外孫女要上街「到處看看」，在任何家庭之中，都是再普通不過的事。可是偏偏在我身上，就絕不簡單，還要勞動我出馬，去秘密跟踪。

於是，事情變得複雜，可是却又很是滑稽。

白素在笑了一會之後，正色道：「爸像是有什麼事瞞着我們……」

我嘆了一聲：「不是瞞着我們，而是他認為我們不是討論的對象，紅綾才是！」

白素吸了一口氣：「紅綾所知的，確然比我們多，而且，她也能接受一切我們想也想不到的事。」

我瞪大了眼睛，叫了起來：「喂！說話公平一些。」

白素抿着嘴笑：「瞧，有人強過衞斯理，就沉不住氣了，那可是自己的女兒。」

我呆了半晌，才由衷地道：「我才不會沉不住氣，女兒的媽媽，早就強過了我不知多少。」

白素不想再說下去，只是向我眨了眨眼睛，作了一個詢問的神情。

我知道她是在問我，明天準備化裝成什麼樣的人物，我一賭氣：「不告訴你。」

當晚，我控制着睡眠——能得到很好的休息，又能在預定的時間醒來。每個人的體內，都有一個「生理時鐘」，稍作訓練，就可以控制時間，人人都可以做得到，除非這個人根本沒有自我意志力。

我醒來的時候，是凌晨四時，起床，先去看了看紅綾，她睡得正沉。

我知道老人家早上容易醒，所以輕手輕脚，進了書房，開始準備。

等到天邊大明，我聽到了白老大洪亮的聲音響起，聽到白素在向他說我有事一早就出去了，又聽得他在對紅綾說：「今天，我們兩個，一起到城中逛逛去！」

紅綾立時發出表示高興的歡呼聲，樓板發出「蓬蓬」的聲響，顯示祖孫二人，正在大力跳躍。

紅綾一面跳，一面還在興奮地叫：「我帶你去看這城市，自從媽媽的媽媽教了我那麼多知識之後，看出去，所有的東西，都像是透明一樣！」

紅綾的話，別人聽來，或許不容易明白，但是我們都很明白她的意思——她的知識豐富之極，對於一切現象，一切東西，都了然於胸。

譬如說，一幢大廈，在普通人眼中看去，只是建築物拔地而起，宏偉無比而已。但是紅綾看出去，卻一眼就可以看穿大廈的設計數據、結構、電腦控制的運作，可以抵抗什麼樣的災害衝擊等等，什麼都可以知道，那就是「像透明的一樣了」！

有了這樣的感覺之後，她仍然不改生活的樂趣，反倒更覺有趣，誰說知識越豐富就煩惱越多？

白老大為人何等自負，可是在紅綾這個外孫女兒面前，他也笑得像小孩子一樣：「好！好！我有什麼不明白的，就問你！」

想來紅綾那時的神態，不是後輩所應有的，所以白素叫了她一聲，而白老大却笑得十分爽朗。

這時候，我的化裝已經完成，我把自己扮成了一個城市中最普通的人——一套顏色青灰，筆挺的西裝，手提公事包一隻和手提電話一隻，架着金絲邊眼鏡，看起來三十上下年紀。

城市的街道上，到處全是這樣的人，無時無刻，何時何地在進行商業活動，使這個城市充滿了經濟活力。白老大有點古怪脾氣，不是很看得起商人，所以他的視線，甚至不會落在這一類人的身上，這也正是我扮成這類人的原因——跟踪者的原則是，盡可能不引起目標的注意。

接着，我又聽得祖孫二人略有爭執，先是白老大道：「一清早就喝酒？」

紅綾道：「有何不可？」

白老大沉吟了一下：「通常來說，若是大白天和人打交道，酒氣沖天，會惹人輕視。」

紅綾道：「我行我素，與人何尤？」

四、上身「老鬼」

紅綾居然會「掉文」，這一點，只怕也很出乎白老大的意料之外。白老大笑：「說得是，可是入鄉隨俗，既然要跟別人打交道，也不可太任性了。」

這樣的話，居然會出自白老大之口，我幾乎懷疑自己的耳朵出了毛病——白老大是我所認識中的人中，個性最最不羈的一個，全然不受世俗禮法之所拘，他一生之中，行事堅決奉行「我行我素，與人何尤」的原則，絕不妥協。

可是，一旦遇上了比他更不羈的紅綾（本質上是野人），他卻也不得不甘拜下風，說出這樣的話來了！

若不是自己化好了裝，我一定會打開門，拍着他「哈哈」大笑，笑白老大不是白老大了！

白老大話一出口，當然也立即感到這幾句話，和他一向的行事作風大不相合，所以他自己也笑了起來：「真是，這是什麼話，你要喝，只管喝，我這是老糊塗了。」

白素忙道：「爸，你不是糊塗，是越老越清楚，你說得對。」

白老大笑：「對雖然對，可是總不够痛快。」

我強忍住了笑，心中倒很放心，因為白老大有了那樣的想法，那證明他不會由得紅綾胡來，他自然也不會胡來了。那時紅綾又道：「有一種酒，喝了之後，不會使人在呼吸中有難聞的氣息——」

白老大「呵呵」笑：「何須你教，普天下的酒徒，無人不知，那是俄國的伏特卡酒。」

紅綾又嘰嘰咕咕說了兩句話，多半是提議喝點伏特卡，因為白素立時出言喝止：「聽外公的話。」

白老大立刻糾正：「媽媽的爸爸。」

三個人一起笑——我雖然和他們隔着一度門，但也充份可以感到那種歡愉的氣氛。

更令我高興的是，紅綾至少問了三次：「爸到哪裡去了？」

白素支吾以對，白老大笑：「你爸也算是奇人了，誰知道他到哪裡去了。」

紅綾應了一句：「是，媽媽的媽媽也那麼說。」

白老大沒有再出聲，我也怔了一怔，這是我第一次聽到岳母大人對我的評語，能得陳大小姐一語之褒，也真是難能可貴之至了。

過了一會，白老大大聲道：「走，先吃個飽，再和你到處去逛。」

他說了之後，忽然加了一句，顯然是對白素說的：「不要你跟着我們。」

白素一聲也不敢出，我也不禁吐了吐舌頭。

我雖然只是隔着門聽聲音，看不到外面的情形，但是聽到這裡，我心中也不禁暗叫了一聲「糟糕」。因為白素不會說假話（她不是不會說，是不屑說），此時能做到的，最多是不說，或是支吾以對。

白老大是何等樣人，豈止是水晶心肝而已，簡直是五臟六腑，無不晶瑩透徹，再加上知女莫若父，白素這一不出聲，如何瞞得過他去？

果然，白素雖然沒有出聲，白老大已「哼」了一聲：「是不是小衛出什麼古怪？」

白素忙道：「我……我不知道。」

紅綾好奇：「小衛是誰？」

白老大笑：「就是你爸爸。」

紅綾更是大訝：「爸會出什麼古怪？」

白老大仍在笑：「不知道，咱們騎驢看唱本，走着瞧吧，哈哈……哈哈……」

白老大可能料到了我躲在書房之中了，他最後那兩下「哈」，顯然是笑給我聽的。

我心中不禁苦笑——因為他一有了提防，要跟踪他，自然更困難多了。

但是越有困難，挑戰性也越強，我可不會就此退縮。

只聽得紅綾把白老大剛才的話，重覆了幾遍，大有興趣：「什麼叫『騎驢看唱本』？」

那是一句很普通的北方「歇後語」，通行程度和「外甥打燈籠」——「照舅（舊）」一樣，可是紅綾此際，雖然已經知識豐富之極，可說是「學究天人」了，但是她還是不明白。

紅綾這一問，樂得白老大開懷大笑，一面笑一面道：「小娃子，外星人教你的還不夠多，是不是，我來慢慢教你，有太多東西，什麼外星人都不懂。」

紅綾接下來所說的話，連我也不能肯定，是出自她的本心，還是外星人傳授她的知識，她用很是高興的語氣道：「外星人教我的那些沒有趣，你說的話才有趣。」

這兩句話，更是樂得白老大笑聲不絕，看來他是握住了紅綾的手，一起走下樓梯去的。

這時，書房的門口，傳來了幾下輕輕的敲門聲，那自然是白素給我的警告，叫我小心一些了。

我吸了一口氣，好勝心大盛，來到窗口，越窗而出，到了街上，直走到斜路口，走進一家小吃店中，臨街坐了下來。

我的住所在一條斜路上，這條斜路口是唯一的通道——除非白老大帶着紅綾去攀山越嶺——他們當然有這個能力，但是我料定白老大不會如此。

原因很簡單，白老大既然料定了我有「古怪」，就一定會故意讓我容易跟踪，然後才來揭穿我。他這一點脾氣，我還是摸得準的。

果然，在約莫四十分鐘，那小吃店的女侍應，已明顯地在表示我坐得太久了的時候，我看到紅綾和白老大，嘻嘻哈哈，在斜路上走了下來，紅綾一面走，一面正在四下張望，說話的聲音大得驚人，對馬路也聽得到。她在說的是：「小衞在哪裡？」

我聽了心中叫苦不疊，這野人，若是以後一直把父親叫「小衞」，我這個父親再開通，也受不了。

只聽得白老大回答：「現在你找不到他，遲點他會冒出來的。」

紅綾興致勃勃：「在苗疆，藍絲的爸跟着我們，身上罩了一個罩子……」

她說着何先達的事，白老大也聽得很入神，祖孫二人，在路口也不停，更不理會有沒有車子，自顧自向前走，引得車子狂撳喇叭，一陣混亂。

我等他們過了馬路，才離開了小吃店，保持一定的距離，使他們在我視線範圍之內。

像我這種造型的人，路上不斷會出現，白老大一時之間，也懷疑不到我的身上。

這樣的跟蹤，其實很輕鬆，白老大和紅綾一直步行，沒有乘車子，我想白老大是故意的，目的是方便我跟蹤，以便把我當場「捕捉」來取笑。

我自然不會上當，一直保持相當的距離，這樣做，雖然聽不到他們兩人的交談，但是却可以保持「自身安全」。我知道白老大出來的目的，是「見一個人」，他逛街是虛，見人是實。

要和人相會，自然要有時間、地點。所以我只要耐心等下去，不被白老大發現，就必然可以知道他要見的是什麼人了。

這時，我心中很是疑惑，因為白老大退出江湖已久，能有什麼事可以吸引他重出江湖？那個約他見面的，又是什麼人？

一直跟踪到中午，我跟着白老大和紅綾，進了一家酒店，我跟進去的時候，不禁有點緊張，以為和白老大約會的神秘人物，會在酒店中露面了。

可是進了酒店之後，我才啼笑皆非，原來祖孫二人，進了餐廳——那裡有豐盛的自助餐供應，兩人不一會，就揀了許多食物，據案大嚼，看來胃口極佳，一大兜的白酒，紅綾當蒸餾水一樣地喝，看得幾個侍應，目定口呆，則聲不得。

我在餐廳一間的酒吧前坐了下來，慢慢喝着酒，留意着他們的行動。

「自助餐」這樣的進食形式，很能得孩子的歡迎，所以座中頗多小朋友，很是熱鬧。

我目光所到之處，看到了一個打扮得花紅柳綠的婦人，帶着一個女傭，兩個大人，正爭着在服侍一個小女孩——這樣的場面，本來不值得奇怪，可是我卻呆了一呆，因為我認得那個小女孩。

事情很是複雜，那個小女孩的名字叫陳安安，可是她實在早早不是那個叫陳安安的小女孩，而是被一個不知來歷的鬼魂，侵佔了她的身體，頂着她的身體在人間活動。

本來，每一個身體都有一個靈魂，沒有什麼可以大驚小怪的。可是自己的靈魂在自己的體內，和不知來歷的靈魂，在一個小女孩的身體之中，卻全然是兩回事——前者正常，後者則可怖！

我和溫寶裕，曾出動過，向「陳安安」質問，「她」究竟是什麼來歷，可是不得要領，只是估計那鬼魂是十分狡詐奸猾的老鬼——這一切過程，都記述在「圈套」和「烈火女」這兩個故事中。

「陳安安」既然以她小女孩的身分，堅稱她就是陳安安，我固然也無法可施——一個人見人愛的小女孩，這是最好的護身符，誰會相信一個童稚的身體之內，會被一個奸詐的老鬼盤踞着？

所以我和温寶裕也只好不了了之，禍是温寶裕闖出來的，他寬慰自己，也為了怕我責怪他，曾道：「就算那老鬼再壞，再陰險，頂着一個小女孩的身體，連走一步路都有大人跟着，只怕也做不出什麼壞事來，由得他去吧！」

他說了之後，還「哈哈」大笑：「換了是我，寧願做一個孤魂野鬼了，日依草木，夜宿荒郊，高興起來，還可以把人嚇個半死，多麼有趣。做一個起居飲食都被人牢牢看管的小女孩，那只怕是生命形式中最無趣的一種了！」

我當時的回答是：「如果另有目的，那就要當別論。」

温寶裕答應多加留意——他自然只是説説而已，當他和藍絲，在加勒比海的小島上，藍天白雲，碧波嬉戲之時，哪裡還會記得有這回事！

正因為「陳安安」是如此特異，所以，在別人看來，是再平常不過的情景，我一看到，就有異樣的感覺。

這時，我經過化裝，「老鬼」再靈，只怕已認不出我來，所以我決定趁機旁觀一下——這是難得的機會。

而且，分神去留意一下「陳安安」，對我這時的行動，也很有好處。因為白老大的觀察力十分銳利，就算我只是間歇地注視他，次數多了，也會被他發覺，而我在注意他之外，再去注意別人，他就不容易發現我了。

我看到紅綾的胃口極好，白老大也興致甚高，不會立刻離開，所以我反倒更多去留意「陳安安」。只見她一坐下來，就嚷着要去取食物，看來倒是一派小女兒的天真。而她的媽媽，那個商界小聞人的妻子，像是唯恐人家不知道她的存在一樣，正在大聲教育小女孩「禮儀」。

小商人的妻子，是一種很特別的人，她們大多數出身普通，忽然丈夫變了小商人，就努力向上擠，不放棄任何表現自己的機會，像這位婦人就是，吃自助餐是最沒有禮儀可言的行為，可是她偏偏要藉此表示她屬於「上層社會」，他人側目，她還沾沾自喜。

小女孩吵了一會，忽然大聲叫了一句話——她的這句話，叫得很大聲，幾乎整個餐廳的人，都可以聽得到，連我坐在一旁的酒吧，也聽到了。

可是，我卻沒有聽懂她在叫些什麼。如果我不知道這個「小女孩」的來歷，我一定以為那是小女孩自創的語言，用以表示她對母親管束的不滿，沒有別的意思——小孩子經常有這種行為。

但我卻深知這個「小女孩」絕不簡單，所以她忽然間莫名其妙高叫了一聲，而我竟聽不懂她叫的是什麼，這就事有可疑了。

一時之間，我只聽到她叫那句話，大約有七八個音節，極快地叫出來，像是一句咒語，或是什麼暗號，一定是她叫熟了的。

在電光火石之間，我所想到的是：這「老鬼」這樣叫，是不是想引起什麼人的注意呢?是不是在和什麼人通消息呢?

我正在這樣想，就聽到了一下玻璃的碎裂聲，我看到「陳安安」的母親在勸她的女兒，而玻璃的碎裂聲又吸引我循聲看去。

我所看到的情景，令得我心頭怦怦亂跳！

我看到白老大手中握着一隻酒杯，酒杯已被他捏碎——那正是玻璃碎裂聲的由來。而白老大却全然不理會手中的杯子已碎，杯中的紅酒流了一手，只是以極具不可思議的目光，望向「陳安安」。

白老大剛才在點那瓶紅酒之際，曾和侍者領班有過一番小小的交涉，多半是由於絕少人在中午吃自助餐之時，享用那樣高級的紅酒之故，但對白老大來說，再名貴的酒，也視同等閒。

所以，自領班以下，全體侍者對白老大也另眼相看，忽然發生了這樣的意外，自然有侍者趨前相詢。

許多事，幾乎都在同一時間內發生，要一一敍來，得化點功夫。

紅綾望到了白老大陡然捏碎了酒杯，問了一句：「什麼事？」

（我是根據脣形來判斷她說的什麼話，因為我和他們隔得相當遠，聽不見他們的交談——我的「唇語」能力，使我可以做到這一點。）

白老大仍然盯着「陳安安」在看，神情有着不可掩飾的怪異，他問了紅綾一句：「有極怪的事發生！」

紅綾停止了進食，這時，兩個侍者走近白老大，向白老大遞出了布巾，白老大接了過來，不經意地抹着手，隨口打發走了侍者，他仍然盯着「陳安安」在看。

那時，「陳安安」已從椅子上下來，她在下來的時候，也向白老大望了過去。

她和白老大相距約有十公尺，我在他們的中間，距離也有十公尺左右。我可以十分清楚地看到，白老大的目光和「陳安安」的目光相接觸，白老大的雙眼之中，陡然之間，精光大盛，連我這個旁觀者，也心頭凜然。

同時，我也看到，在「陳安安」的眼中，也有異樣的光芒閃耀。

兩人的目光接觸，只是極短的時間，「陳安安」已轉過頭去，向着陳列食物的長案走過去，那個傭僕，跟在她的後面，那婦人擺了幾個姿態，才站了起來。

那時，白老大已伸手在紅綾的手背上拍了兩下，示意她坐着別動，他也向長案走去。

這種情形，看在我的眼中，簡直令我震呆！

「陳安安」的那一聲怪叫，是叫給白老大聽的，我全然不知那一下呼叫是什麼意思，可是白老大立刻就聽懂了！

而當白老大看到，發出那一下怪叫聲的竟然是一個女孩時，由於極度的詫異，他揑碎了手中的酒杯。

但接着，他和「陳安安」的目光一接觸，相信以他閱歷之豐富，他已經知道是怎麼一回事了。

我也知道是怎麼一回事了——上了小女孩身的那個「老鬼」，是白老大的舊相識！

而且可以肯定，這個舊相識，必然不是一個等閒的人物——白老大只聽到了聲音（那一下怪叫），就激動緊張得捏碎了酒杯，然後，他才看到發出那下怪叫聲的是一個小女孩，這才現出訝異莫名的神情來。

由此可知，那一下怪叫聲，一定表達了令人震驚之極的訊息。不然，以白老大之能，又何致於會在刹那之間，大失常態。

我和温寶裕早就料到過那「老鬼」不是什麼好東西，但卻也絕料不到會是白老大的舊相識——而且看起來，那「舊相識」，是敵人更多於朋友！

我一面心念電轉，一面專注留意白老大和「陳安安」的行動，只見他們一起來到了長案之前，看來和一般正在選取食物的人，並無不同。

我在百忙之中，也留意了一下紅綾，看到她一面喝酒，一面也在留意白老大，顯然白老大的行動失常，也引起了她的注意。

白老大和「陳安安」，還有一定的距離，但是在移動時，很明顯地看到他們，是在不想為人注意的情形下，正在靠近——那情形，就像是三流特務片中，兩個特務想互通消息一樣。那情景本身很是可笑，但由於其中一個，是鬼魂侵佔了人身，所以又覺得特別詭異。

白老大身形高大，外形突出，在長案附近的人，都用好奇的眼光望着他，有的甚至不顧禮貌，盯着他看。

到「陳安安」終於來到了他的身邊時，「陳安安」抬起頭來，也直視着他。白老大低頭望向「陳安安」，兩人的目光再次接觸。

「陳安安」舉着手中的碟子，伸向白老大，又指着她伸手不及的食物，白老大就接過了她手中的碟子來，替她去取食物。

我看得很清楚——這種偷龍轉鳳的手法，瞞得過別人，可瞞不過我。

就在他們遞過碟子的那一剎間，我看到，自「陳安安」的小手之中，有一個指甲大小的東西（摺疊起來的紙片），到了白老大蒲扇也似的大手之中。

那紙片上，自然有着「陳安安」想要傳遞的訊息！

我也留意到，儘管除了我和紅綾之外，誰也沒有留意白老大的行動，可是白老大這個一生闖蕩江湖的人物，這時竟然有異樣的緊張。

白老大的內心緊張，在外表上是一點也看不出來的，但是我却知道——他在接過了紙片之後，隨便取了食物，放在碟子上走回來，在碟子的竟是一塊煎魚，那是他最討厭的食物。

「陳安安」也若無其事地回到了座上，在她的母親指導之下進食——她和白老大之間，竟然沒有再互望過——行事之隱秘，一至於此。

我再看白老大，看到他竟然把那塊煎魚，一口一口吞了下去，由此可知，他食不知味，心神恍惚之至。

這時，我的好奇心，真的高漲到了極點，可以說是到了心癢難熬的地步。

我設想了好幾種方法，想得到那個紙片，看看上面有什麼訊息，甚至包括了使用麻醉劑，令白老大暫時昏迷。

不過，我也考慮到，就算單是白老大一人，我也不容易對付，何況他身邊還有紅綾，我一出手，只怕一定會被他們制住。

當然，我可以用扒竊的方法，把紙片偷過來。但那也困難之至，因為我注意到，白老大一直把那指甲大小的紙片，捏在手中，他沒有心急把它打開來看，據我那時的估計，他多半知道那紙片上的訊息是什麼。

紅綾那時，像是已放棄了對白老大的注意，自顧自吃喝，白老大也若無其事。我想來想去，覺得最好的辦法，莫過於走過去，暴露自己身分，告訴他我知道「陳安安」的來龍去脈！

在那樣的情形下，開始或者難免尷尬，但却可以知道「陳安安」和他通了什麼訊息！

打定了主意，我吸了一口氣，已經站起身來，準備走向前去，到他們的面前，先「哈哈」一笑——估計白老大立即可以知道我是什麼人。

可是，我站起來，事情又有了變化，只見餐廳的門口，進來了三個人，一雙中年夫婦，扶着一個極老的老婦人。由於我站起來的時候，恰好面對門口，所以第一時間就看到了他們。

一看之下，我就呆了一呆，心想怎麼什麼樣的古怪人，都集中到這裡來了，使我有這樣想法的是，那個老婦人老得實在已不適宜外出的了！

那老婦人究竟有多大年紀，我也說不上來。

五、都是江湖舊相識

只見她又乾又瘦，身子縮成了一團，傴僂得叫人產生一種可怖感。

由於她的身子如此傴僂，以致她要抬起頭來看人，也變得很是吃力。可是她卻努力在四面張望着。滿是皺紋的臉上，也已經無法傳達她心中在想些什麼，只使人感到她老了，太老了！

可是這樣的一個老婦人，却有兩樣令人不由得不注意的事，一是她的目光，竟然如同午夜之中的貓一樣，有着一股幽深的光芒，陰森可怖之至，彷彿是在告訴人：我已經老了，老得和死亡只有一線之隔，只有我才知道什麼才是死亡！

另一樣，是她的身邊，一左一右，雖然都有人扶持着，但是她的手中，還是拿着一根拐杖。

扶住她的人，一男一女，看來是她的晚輩，那男的有點蛇頭鼠目，可是衣飾很華麗，自有一股成功人士的自信，所以看來並不討厭。那女的，可以歸入「陳安安」母親一類，打扮得不倫不類，庸俗無比，是這種城市的典型人物之一。

那男人有點面熟，是一個商界的知名人士，商業上的成就，當然不能和豪富的陶啟泉相比，但是也比「陳安安」的父親強多了。

所以，這三個人才一進來，最先有反應的，是「陳安安」的母親，她整個人像是裝了彈簧一樣，「刷」地彈了起來，同時，還不及吞下口中的食物，整個臉上，已是笑容密佈，向着那一雙男女和老婦人。

不過，進來的三個人，目光並未停留在她的身上，那老婦人在四下張望了一下之後，那種怪異的目光，就盯在白老大的身上。

就在這時，她頓了一下手中的拐杖——對了，忘了介紹她手中的拐杖，那根拐杖，誇張之極，足有兩公尺長，比她的乾綳了的身子，高了一倍。

拐杖通體，墨黝黝地，並不是很直，有些彎曲，看來像是一枝天然的古籐。而最有趣的是，拐杖的頂端，是一個圓形的物體，看來一如人頭。更妙的是，那「人頭」的雙耳處，各有三五個圈兒垂下來，看來像是耳環一樣，在不住晃動。

這樣的一個老婦人，握着這樣的一根拐杖，這樣的情景，甚至不會出現在正規的武俠電影之中，大多數在神怪電影之中，才會有這種造型的老婦人出現。

我看到了這樣的拐杖，依稀有點印象，可是却說不出實在的來，我在想，白素見多識廣，如果她在，一定立刻可以告訴我來龍去脈。

剛才我這樣想的時候，我看到，老婦人望向白老大，白老大也望向她，兩人的目光一接觸，白老大銀眉軒動，一口喝乾了杯中的酒。

老婦人手中的杖，略斜了一斜，向白老大指了一下。

這情形，不消說，那老婦人又是白老大的舊相識！

看來，舊相識都出現在這個餐廳之中，絕不是「偶然事件」，而是早有預謀的！

這不禁引起了我極度的好奇，決定再旁觀下去。

那一男一女扶着老婦人，逕自向白老大的座位處走去，別說是我早有所覺，只要感覺稍為靈敏一點的人，也可以看出那個老婦人，大有善者不來，來者不善的氣勢。而白老大雖然表面上看不出什麼來，但是我完全可以知道他很是緊張，可知那老婦人，也不是等閒人物。

偏偏在這個時候，「陳安安」的母親，那個小商人的妻子，却滿面是笑容，離開了自己的座位，向那一男一女和老婦人走了過來。

她的目的，自然是想和那中年人打招呼——多半是想和那中年婦女打招呼，所以還隔得遠，就已然擺出了一副十分熱切殷勤的神情。

只是那一雙中年男女，全然不把她放在眼裡，連眼尾也不移向她。她還不識趣，來到了那中年婦女的身邊，竟然伸手出去，去扯對方的衣袖，那中年婦女覺察了，現出很厭惡的神情，疾聲叱：「快走開！」

可是陳夫人却還想社交一番，未言先笑。就在這時，我目光到處，非但看到白老大有「不忍卒睹」的神情，連「陳安安」也現出了一副怪相，搖了搖頭。

由這種情形看來，接下來，會發生什麼事，白老大和「陳安安」了然於胸。

接下來發生了什麼事呢？倒全然出乎我的意料之外，陳夫人在一叱之後，沒有離開，那老婦人手中的拐杖，突然略斜了一斜，中年男人在那時叫了一聲：「媽！」

中年男人的叫聲，含有阻止的意思，可是却已經遲了，老婦人出手如風，那拐杖的頭部，已向陳夫人的臉面，直撞了進去。

刹那之間，只聽得陳夫人發出了一聲慘叫，雙手掩臉，狼狽而退。

我看出，老婦人的那一下出手極輕，怕至多只用了半成力，只是隨手一揮而已。

可是當陳夫人放下雙手來時，却已然鼻青臉腫，樣子可怕之極。

這一來，整個餐廳，都為之震動，不少人圍了上來。老婦人若無其事，仍然向前走着。她身邊的那中年婦人大聲宣佈：「這女人過來拉拉扯扯，不知道想幹什麼？老太太想趕她走，不小心碰了她一下，那是咎由自取！」

不單那中年人是商界名流，那中年婦女，也是社交界的名人，兩人的地位，得到公認，陳夫人却沒有人認識，在這種情形下，還有什麼好說的！

陳夫人哭喪着一張腫臉，狼狽而退，拉了「陳安安」，和那傭人一起離去。

我看到「陳安安」被她母親帶走了，心中有一種異樣的感覺。因為我已可肯定，「陳安安」，那老婦人，和白老大，都是江湖舊相識，他們同時在這裡出現，事情並不是偶然，而是有人安排的！

這樣的聚會，少了一個如此怪異的人物「陳安安」，自然有趣熱鬧的程度，會相去甚遠了！

「陳安安」在被她母親拉出去的時候，連連回頭，向餐廳內望來，但是白老大却沒有望向她，白老大的注意力，集中在那老婦人的身上。

那老婦人的行為，可稱怪異，她一直來到了白老大的身前——由於她來得太接近了，連紅綾也抬起頭來，用不明白的眼光望定了她。

老婦人雙臂略震，在她身邊的一男一女，立時退開了半步，原來老婦人不必人扶持，一樣可以站得穩，這時，她把拐杖提起了一些，並不點地，站立着，看來竟大有淵停岳峙之勢，和剛才顫巍巍地走進來的那種衰老相，不可同日而語。

她和白老大對望了三五秒，才把拐杖向地上一頓，自喉間發出了一下冷笑聲，轉過身，那一男一女連忙又扶住了她，來到了鄰近的一張桌子上坐了下來。

等到她坐下，白老大才笑着向她道：「三阿姐別來無恙否？」

我一聽得白老大如此稱呼那老婦人，就不禁嚇了一驚。「三阿姐」雖然只是一個普通的稱呼，但出自白老大的口中，就絕不簡單。尤其兩人之間的情形，像是大有敵意，白老大依然在稱呼之中，承認了她「阿姐」的地位，可知這老婦人不簡單了！

白老大叫了之後，又對紅綾道：「孩子，叫三姑婆，三阿姐，這是我外孫女兒，衞斯理的女兒。」

白老大在介紹紅綾的時候，特地說明是我的女兒，那更使我心中一凜，覺得事態嚴重。

因為若非有必要，他絕不會強調紅綾是「衞斯理的女兒」。他這樣說，目的自然是想借我的名頭，來使對方知道他這一方面所具有的實力。

白老大為人自負之極，可是連他也感到自己力量不夠，要加上我的名頭，由此可知，對方被他稱為「三阿姐」的那老婦人，絕非等閒！

我不必妄自菲薄，在江湖上，「衞斯理」三個字，自然也够得上響噹噹而有餘。尤其我結交廣，朋友多，各方面的出色人物都有，形成了一個很廣大的人際關係網，自然可以有一定的作用。

果然，在白老大這樣說了之後，我注意到那中年人的神色，略變了一變——這時，我已想起了這中年人的姓名，他確然在商界很有地位，我想不到他這樣有地位的人，會有一個母親是江湖人物（他剛才叫老婦人為「媽」），想來他一定不是很願意公開這種關係，所以我也不提他的姓名了。

當時，我並不明白何以一個商界強人在聽到了我的名字之後會聳然動容，因為我在商界，可以說一點影響力也沒有。

那老婦人却沒有什麼反應，仍是寒着一張臉，可是她一開口，說的話，却又客氣得出人意表。她道：「大哥你結實壯健？」

白老大揚了揚眉，略笑了一下。我又是一怔——老婦人稱白老大為「大哥」，而不是「白大哥」，這說明兩人之間的密切關係。「白大哥」是泛泛的普通稱呼，而「大哥」則不是尋常稱呼，一般來說，要經過正式的結拜手續，才能這樣稱。在白老大年代的江湖人，對於稱呼的得體與否，嚴格之至，決不會亂叫的。

老婦人在問候了白老大之後，又對那中年人道：「叫大伯！」那中年人還未開口，白老大就連聲道：「不敢！不敢！令郎也是社會棟樑了，怎敢當？」

可是那中年人還是恭恭敬敬叫了一聲：「大伯！」

紅綾直到這時，才想起自己還沒有稱呼人，所以她也大聲叫：「三姑婆！」

紅綾雖非長得五大三粗，可是神情真純稚氣，很惹人喜愛。她一叫，老婦人就連聲道：「乖！你叫什麼名字？過來，三姑婆有見面禮給你！」

我一聽得那老婦人這樣説，不禁大是緊張——因為她説話雖然客氣，和白老大的稱呼也親密，可是兩人互相盯望的眼神，分明説出他們兩人之間，有着極深的過節，她叫紅綾過去，會不會不懷好意？

紅綾却一聽就站了起來，自己報了名字，大踏步走到了老婦人身旁，老婦人伸出一隻手來，抓住了紅綾小手，翻來翻去看了一下，面有訝色。

這時候，我注意到白老大神色泰然，所以也放下心來，若是紅綾會有危險，他這個外公，斷無送羊入虎口之理。

老婦人看了紅綾的手，神情訝異，啞着聲問：「你父母逼你練什麼功夫來？把你的手練成這樣子！」

紅綾咧着嘴笑：「我是由猴子養大的，從小就是野人，不關什麼練功夫的事！」

老婦人瘦癟的臉上，神情更訝然，忽然她又托起了紅綾掛在項間的那塊琥珀來看，那是大降頭師猜王送給紅綾的，裡面有幾隻小蟲。

老婦人看了一會，吸了一口氣：「你學過南洋的巫蠱之術？」

紅綾這時的知識，自然再高深的話都聽得懂，她笑道：「我沒有學過，我有一個表姨，却是降頭師，功夫很高深，我却不懂。」

她那時說自己「不懂」，那是真的不懂——她懂的事太多了，腦部知識之豐富，舉世無雙，那全是外星人傳授給她的。

可是對巫術、降頭術、蠱術，那當然一竅不通，因為這一些，連外星人也不懂，自然未能傳授給她。

不過，老婦人不知就裡，也聽不出紅綾的話中之意。她又伸手，撥開了紅綾額前的頭髮，打量着紅綾，口中「嘖嘖」有聲，很是欣賞。

她看了紅綾半天，才橫過那拐杖來，伸手在拐杖的頭上一拍，那人頭形的部分，竟給她拍了開來。她一伸手，自裡面取出了一隻小小的絲絨盒子，遞給了紅綾：「這個給你，看你是不是喜歡！」

紅綾接了過來，一上手就呆了一呆，神情訝異。她還沒有打開，白老大已道：「還不快多謝三姑婆！」

紅綾一面說着「多謝三姑婆」，一面打開了盒子來。

這時，我所在的角度和距離，都無法看到那小盒子中放的是什麼。

我的心中正在想，盒中不論是什麼，紅綾都不會希罕。一來，她根本沒有物慾。二來，正如她自己所說，一切東西，在她看來，都「透明」了，就算是一顆大鑽石，在她看來，也不過是碳的同位素而已。

可是，我卻看到，盒子打開之後，紅綾看了一眼，神情很是不解，但驚訝之色更甚——那表示盒中的東西，奇特之至！而同時，老婦人也面有訝色！

而她也立時轉頭向白老大望去，白老大很有深意地向她點了點頭，分明是在告訴她：不論是什麼，你謝已謝過了，收下就是！

紅綾也在這時，關上了盒子，笑嘻嘻地退了回來。

這時，我好奇心大熾：那小盒子中的是什麼東西呢？

從白老大的反應來看，像是老婦人一出手，他就知道了那是好東西，所以才會叫紅綾立刻道謝——那並不稀奇，兩人既是舊相識，自然熟悉對方的行事作風，知道老婦人不出手則已，一出手必然大方。

奇就奇在紅綾打開了盒子一看，分明不知盒中是什麼，但卻大有訝異之色，這表示她看到了那是什麼東西，心中充滿了疑惑，很令人費解。

紅綾如今知識豐富之極，但卻多偏於科學知識一面，那盒子中如果是一件微型集成電路，紅綾可能一下子就指出它的功能。但那老婦人送的見面禮，應該和中國傳統，或是江湖流傳的物事有關，那是紅綾的知識範疇以外的事，何以她也能一看就表示訝異？

我沉住了氣，靜候事態發展，只見紅綾笑嘻嘻地回去了之後，把那小小的絲絨盒子（大小比普通放戒指的盒子大一倍），遞給了白老大，白老大接了過來，打開來一看。

我本來估計，白老大是一看盒子，就知道那是什麼的，可是這是看白老大的反應，顯然估計錯了，白老大至少只知那是好東西，可是不知具體內容，因為這時，他向盒子中看了一眼，反應之強烈，全然出人意表。

他先是發出「啊」地一聲低呼（白老大泰山崩於前而色不變，要他發出驚呼聲，談何容易），接着，霍然站起。由於起得急，所以帶起了一股勁風。

我看到這裡，已經呆了，恨不得自己有「紅人」一樣的又細又長的頸，可以一下子湊過去，看看那小盒正中的究竟是什麼！

只見白老大站了起來之後，神情激動之極，呼呼地透着氣，不但銀髯飄揚，白眉軒動，連額頭銀髮，也像是在起伏不已。

接着，他就以同樣激動的聲音道：「三阿姐太客氣了，對小孩子，何必那麼好！」

那老婦人看到了白老大的這種反應，也很是高興，朗聲道：「我是行將就木的人了，該把好東西給小娃子，我留着有什麼用，難道還能千年不死嗎？」

她的神態語氣，都很是高興，那種反應，很是正常——通常，送了一樣好東西給人，若是對方識貨，知道那是一份非常的非常的厚禮，自然是值得高興的事。

白老大識貨，大大感激，老婦人也高興。而我把他們兩人的話，尤其是那老婦人的話一琢磨，却更是不解，因為聽起來，那小盒子中的東西，竟然像是性命交關一樣，那究竟是什麼東西？

就在這時，那中年人大有惋惜和不捨得的神情，壓低了聲音，叫了一聲：

「媽！」

那中年婦女的神情也和中年人一樣，但是口唇動了動，沒有出聲。看那神情，兩人都對老婦人送紅綾的見面禮，有點不以為然——若是老婦人把她家的傳家之寶送了出去，兩人有這樣的反應，就正常很很。

白老大向老婦人拱手為禮，老婦人也微笑點頭——他們兩人，在老婦人一出現之後，雖然說不上劍拔弩張，但是氣氛很是僵硬陰森，所以我直覺的判斷，是他們之間，必有陳年過節在。

但是現在看來，即使兩人之間，過往有什麼過不去的話，也已經通過老婦人送紅綾見面禮這個行動，而得到了化解。

固為兩人之間，非但不像一上來那樣敵視，而且很融洽地交談起來。

老婦人先開口：「黃老四約了我們來，他自己怎麼還不現身？」

那老婦人從第一次開口，說的話，一直有濃重的浙江西部的口音，像是盛產密橘糖霜的黃岩縣那一帶的人——這種語言，很是冷僻，如果一打起鄉談來，除非是當地人，不然，絕難聽得懂，而她向白老大問「黃老四」的那兩句，却純用土語，連我在猝然之間，也不知道她在說些什麼，要想一想，才能明白。

白老大和那老婦人相隔約有兩公尺，分別坐在不同的桌子上，那時，早已有侍者在招呼老婦人等三人，但是白老大已吩咐侍者送了酒過去，老婦人淺嚐美酒之時，才問白老大的。

她的聲音並不高，但是綿綿不絕，聽來很有力，我隔得雖遠，也可以聽得見。

白老大也用同樣的鄉談回答她的話，這樣隔着桌子，用比平常聲調高的聲音交談，本來是很沒有修養的事。可是白老大和那老婦人，却自然而然，旁若無人，哪管他人的注目？

白老大搖着頭：「黃老四早死了！」

照說，老婦人聽了這樣的回答，應該吃驚才是，但是她却若無其事，反倒道：「是啊，說是死在海上的，老四他賊性不改，連海盜這種行當都去做，大哥，那是誰冒了他的名約人的？」

我聽到這裡，已聽出一點眉目來了——白老大和老婦人來到這裡，全是一個叫「黃老四」的人約來的，可是那個黃老四卻早已死了——那不是什麼好東西，多半本來就是黑道中人，後來又做了海盜。

老婦人於是以為是有人冒了黃老四的名，約他們來這裡的。

我卻隱隱感到，並不是有人冒名，而真是黃老四定下了這約會的！

（事情怪絕！）

果然，白老大道：「不是有人冒他的名，是他自己約的，他也早來了，不過又叫你趕走了！」

白老大這番話，任誰聽了，也要摸不着頭腦，那一雙中年夫婦，顯然也懂這種鄉談，他們一聽，就現出了駭異莫名的神情，如見鬼魅。

我並不覺得奇怪，因為我早已料到——那「陳安安」，就是黃老四。也就是說，上了陳安安身的那老鬼，是黃老四的靈魂。

那老婦人果然非同小可，她並不驚訝，雙眉一揚，聲調略高：「他的鬼魂，居然能在光天化日之下出現？」

老婦人的話，聽來很是怪異，但是對於相信人死了之後有靈魂的人來說，也普通得很。

白老大打了一個「哈哈」：「上了身。」

老婦人「噢」地一聲：「給我趕走了的那個女人？」

白老大道：「不，是被那女人抱走了的小女孩。」

老婦人陡地呆了一呆，接着，便呵呵哈哈，嘻嘻咯咯，笑了起來，她一笑就不可收拾，再也不能停止，笑得前仰後合，笑聲也越來越大。那中年婦女忙離座而起，在她背上輕輕搥着。

白老大也跟着笑，不過沒有笑得如此之甚，紅綾望着大笑特笑的老婦人，神情大感有趣——事實上，所有人都用同樣的神情望着那老婦人。

六、催命三娘

老婦人在足足笑了十來分鐘之後，才失聲笑了出來：「那小女孩，黃老四他……那小女孩，呵呵！哈哈！那小女孩，哈哈……」

我倒可以猜想到老婦人和白老大為何會那麼好笑——那黃老四，本來多半是殺人不眨眼的江湖上窮兇極惡的凶徒，說不定身高七尺，滿面橫肉，胸口全是密密的黑毛，忽然間竟變成了一個乖乖的小女孩，對於熟悉黃老四的人來說，自然好笑之極。

紅綾又忍不住在問：「三姑婆為什麼那麼好笑？」

白老大還沒有回答，一旁有人搭了腔：「她想起了往事，所以好笑。」

突然聽得有人插嘴，那令全神貫注在傾聽、注視他們言語行動的我，大吃了一驚，因為我根本沒有留意到另外有人在他們的附近出現，那麼怎麼會忽然多了一個人說話？

我在一驚之後，定了定神，才看到在白老大和老婦人的身子之間，另有一個人在。那人並不是隱形的，也不是突然出現，而是早就在那裡的。只是因為這個人在那裡，是一個普通之極，正常之至，完全不值得注意的現象，所以我才沒有注意他。

這種太普通、正常的情形，形成了我注意力的「盲點」，所以他在我的意識之中，變成了不存在。

為什麼會有這樣的情形呢？因為那人身形很胖，穿着一套筆挺的黑西裝，白襯衫，結着領結，走路不快不慢，說話彬彬有禮。

像他這樣的人，在這餐廳中有十個以上，在穿來插去，根本不惹人注意——他是餐廳侍者的一個領班！

我全心全意在留意白老大、老婦人、紅綾，根本沒有留意這個領班！

不單是我，連白老大和老婦人，在突然聽到了身邊有人插嘴，而且一言中的，那老婦人正是想起了往事才覺得好笑，也都不免吃了一驚，一齊向那領班看去。

只見那領班有一張胖胖的圓臉，一雙小眼睛，一副和氣生財的樣子，絕無突出之處。

我所在的位置，只能看到他的側面，只見他在笑嘻嘻地望着白老大和老婦人。

白老大和老婦人都現出極疑惑的神情——那使我看了也疑惑不已，因為他插了那樣一句口，表示他和白老大、老婦人都是舊相識，但何以兩人竟認不出他來呢？

那領班仍然笑着，笑容之中，有着狡猾，他忽然扭動身子，作了一個手勢——那是京戲之中，舞台上花旦的常用手勢。

他一做了那個手勢，白老大和老婦人的反應相同，都是一面現出恍然大悟的神情，一面大是駭然，白老大伸手向他一指，失聲道：「小花，你也死了？」——

這種話，在不明究裡的人聽來，一定以為說話的人已經瘋了，可是我聽了，心中一動，已然明白何以白老大會有這一問。

那必然是眼前這個人的外形，和當年他們相識的時候，差得實在太遠了。以致令得白老大以為他的情形，和那個黃老四一樣，死了之後，上了別人的身。黃老四可以變成一個小女孩，那麼，這個「小花」，自然也可以因此變得和以前完全不同了。

同時，那老婦人也道：「花老五，你在耍什麼花樣？」

那領班笑着：「胖了，又——」

他說了一個「又」字，伸手在自己的臉皮上拉了一下，樣子滑稽——這個手勢更不難明白，他胖了，而且進行過整容手術，至少拉了臉皮，所以他的兩個舊相識，根本認他不出了！

白老大和老婦人怔了一怔，神情仍不免駭然。領班急急說着，聲音很低，我是根據「唇語」知道他在說什麼的，他道：「黃老四是先在這裡認出了我，才約兩位來的，這裡不是說話之處，黃老四又說了些什麼？」

白老大道：「我還沒有看！」

他說着，取出了那疊成指甲大小的紙來，展開，也不過是小小的一張，他看了一眼，向那領班揚了一揚，領班也立時點了點頭。

白老大一揚手，把那紙片向老婦人飛了過去——這一下，現出白老的真才實學來了，輕飄飄的一張小紙片，穩穩地向老婦人飛了過去。

老婦人接過了紙片，看了一眼，用手指一搓，就把紙片搓成了粉末，她一言不發，站了起來，那一雙中年夫婦，馬上扶着她，一起向外走去。

那個胖領班，也背負着手走了開去，竟像是什麼事也沒有發生過。

紅綾塞了一口食物，可是她還是忍不住問：「發生了什麼事？」

白老大笑：「都是些你媽都還沒出世時的舊事，只是便宜了你。」

紅綾伸手在胸前拍了拍，有詢問的神色——她剛才把老婦人給的那隻盒子放進了上衣袋中，這時自然是在問：「便宜了我？就是說我得到了老婦人的餽贈?」

白老大點了點頭。

我本來對那盒中是什麼，已然很是好奇，這時，忽然看到白老大口唇掀動，自言自語說了一句：「老三為什麼對我外孫女兒那麼好?」

這一來，更證明那老婦人給紅綾的「見面禮」，非同小可，我心中也暗自高興，因為紅綾自從脫離了野人生涯之後，運氣太好了!所有發生在她身上的好事，都是想也想不到的!

白老大又對紅綾說過「那是你媽媽還沒有出世時的事」，可知他和那些人是真正的「舊」相識，而且，我也依稀可以知道，他們可能曾經結義：白老大是老大——以後江湖上尊稱他為「老大」而不名，可能就是由此而來的。那老婦人是老三，白老大稱她為「三阿姐」而不是「三妹」，那是語言上的習慣，江南一帶，尊稱女性「阿姐」，並不一定真是姐姐。

而所有人都帶有浙江省的口音，可知當年的結義，是在江南進行的，不知道那是多少年前的事情。

而排行第四的姓黃，就是死了之後，上了陳安安身的那個「老鬼」。老五則姓花，就是現在那胖胖的領班，以前他是什麼樣子的，自然只存在於各人的記憶之中了。

老二呢？排行第二的是什麼人，到如今為止，還沒有出現。

黃老四現在的身分，走動一步都有人跟着，他能認出花老五來，恐怕是到這裡來進食時發生的事，他也多半是在花五處，得知了白老大和三阿姐的下落，所以把兩人也約了來。

要知道白老大的下落，不是易事，但只要有心去進行，也不是做不到的事情。於是，就有了這樣怪異的一次聚會——身分如此怪異的黃老四，為什麼要召集眾人，我仍然一無所知。

我能推測得到的是，那一張小紙片上，所寫的必然是他們一次正式的會晤時間和地點。

所以老婦人逕自離去，白老大的神態，也表示事情告了一個段落。

我略想了一想，就知道我現在沒有必要現身——如今現身，有可能因為秘密跟踪而惹白老大的不快。我所要知的秘密，大部分，紅綾都可以告訴我，其他的，可以再通過密切注意白老大的行動而獲知。

所以，在白老大和紅綾離去之前，我就先離開了餐廳，打道回府。

回到家，白素還好在，我把經過情形，詳細向白素說了一遍。

白素一反常態，在聽我敍述的時候，就已經有了反應，通常，她都是默默地聽我說完，才發表意見的。我一說到了那老婦人，她就「啊」地一聲：「是，爹說過，他在江南，曾和幾個人結義過，都是武林怪傑，有正有邪，行事同氣相投，其中有一位女子，人稱催命三娘崔三娘，最是心狠手辣，鐵石心腸，必然就是那老婦人了！」

我聽了之後，也不禁咋舌，一個女性，名字叫「崔三娘」，那普通之極，可是加上一個「催命三娘」的外號，就叫人不寒而慄了。

提到了「陳安安」是黃老四，白素大是驚訝：「這個人是傳奇人物，他本來占山為王，打家刼舍，是一個典型的黑道上人，可是却又有一腔熱血，後來糾集了上千捍鎗打日本鬼子，却又替國家民族，立下了赫赫功勳，曾官拜少將，倒沒聽說他去當過海盜，這人不但武藝超群，聽說是神鎗手，百發百中，說射人左眉，不會射到眉心！」

我吸了一口氣：「這樣的一個人物，必然神威凜凜，如今竟成了一個嬌弱樣子的小女孩，難怪崔三娘一想起來就無法不大笑。」

白素繼續道：「五個人結義，最小的那個，是一個戲班內的花旦——據說扮起來，奇艷莫名，連梅蘭芳也比不上，他的職業是花旦，名字也是花旦，武功倒平常，只是有一門絕技，世上罕有人能及及得上他。」

白素說到這裡，向我望來，大有考一考我那花旦會的是什麼本領。我眼前浮起那領班胖胖的樣子，想不出這樣的人，會有什麼專長，所以搖了搖頭。

白素笑道：「聽說他有一半朝鮮血統，十六歲之前在朝鮮，曾參加過一個幫會，叫『金取幫』的！」

我陡然一怔，「金取幫」是一個很冷門的幫會，而且是在朝鮮活動，至多涉及東北三省，和我從來沒有發生過什麼糾葛。

可是，在幾年之前，却有一件很怪的往事，那件怪事，涉及一件物件。一隻沉重得難以想像的小盒子，由亞洲之鷹羅開托人帶來給我，附帶的一句話是說：「這東西，是從陰間來的。」

當時，是在一個很特殊的環境之中，那盒子到我手，還沒有放好，就已被人盜走了。

在場的人，在經過了一番擾攘研究之後，一致認為，那從陰間來的盒子，是被一個當時在場裝睡的乾瘦老頭盜走的，也推測那老者的手法如此俐落，有可能是朝鮮「金取幫」中的高手。

在這之前，我只在亞洲之鷹羅開的冒險生涯之中，得知朝鮮「金取幫」之名，知道該幫幫主，竟是一個十分艷麗的女性，羅開曾與之打過交道。

想不到白老大當年的結義兄弟之中，也有一個曾是金取幫中人。

當時，我只是略想了一想，並未曾料到那和許多日後發生的事，有着千絲萬縷的關係。

（有關上面提到的那些情節，在我最近整理出來的故事，「從陰間來」，「到陰間去」，「陰差陽錯」之中，都有詳細的敍述，曲折離奇之至，有許多謎團，竟直到幾年之後，才由看來全然不相干的事扯起，而有了結果，其牽涉的範圍之廣，變化之多端，可想而知。）

在聽到了「金取幫」之後，我想了片刻，才道：「只是沒有見到老二，一定也是個人物。」

白素皺了皺眉：「這個排行第二的，一定有點古怪，因為我小時候聽爹說往事，說到那排名第二的人時，爹聲音變得很低沉，說：『那是一個當官的，官還不小。哼，以後，再也不會和當官的稱兄道弟了，官越大，越不是東西！』他沒有說姓名，所以我也不知那是什麼人！」

這種事倒也很有趣，但是想來也不難知，所以我轉換了話題：「照你看，那崔三娘給了什麼寶貝給紅綾！」

白素皺了皺眉：「聽那崔三娘的外號，不像善類，誰知道她給了甚麼！」

我拍着她笑：「怎麼罵起令尊來了？」

白素想了想，自己也失笑：「爹也真是，什麼三教九流的人，都稱兄道弟。」

我知道白老大年輕時，很有雄心壯志，要把草莽英豪，幫會人物，統一起來，由他來當江湖盟主，儼然是地下帝皇——他許多行為，例如獨闖四川哥老會總壇等等，都是為了實行這一目標。

當然，在中年之後，他已知道了那是他的妄想，絕不可能實現，到了晚年，更是不問世事了。

可是，為什麼他忽然又和多年之前的舊相識有了聯絡呢？那「黃老四」，是用了什麼理由，將久已歸隱的白老大又引出山來的呢？

我一面想，一面把這些問題，全提了出來，和白素商討了一陣，可是也不得要領。

白素最後道：「他們回來的時候，最好不要當着爹的面問紅綾。」

我想了一想，嘆了一聲：「你錯了，我根本不會問她什麼——要是如有意與我們分享，她自然會主動告訴我們。若是她無意讓我們知道，問了又有什麼意思？」

白素默然片刻：「說得是，如果是一般的子女，想要自己保留些秘密，父母問了，自然說謊應對。紅綾不會說謊，她不答，反倒尷尬。」

我拉住了白素的手，在人際關係上，有時，父母別太自以為是，要求知道子女的一切行為，那才是明智之舉！可是白素作為一個母親，也必然會因此感到不快，所以我安慰她：「別說紅綾從小不跟我們長大，就算是，她想要保留個人的秘密，也很正常。」

白素笑了一下：「身為人母，自然希望她什麼都對我說——我很有信心，她會說的。」

白素的話，當時我不敢作太熱切的反應，可是很快就證明了她是對的。

說很快，也不算快了——一直等到傍晚時分，白老大和紅綾，在嘻哈喧鬧，一路搶着說話，推門而入。

我早已等得心急了，看他們的情形，像是在午餐之後，又盡興逛玩到現在。我已經除去了化裝，他們一進門，我和白素就在樓梯上出現。

紅綾抬頭看到了我們，發出一聲歡呼，一溜烟地衝了上來，已經忍不住叫道：「有趣極了，有趣極了！」

白老大則在樓下坐了下來，抬頭向上：「這孩子，能把人累死！」

我不禁覺得好笑，紅綾正處在人的一生之中，精力最旺盛的時期，白老大再能再強，自然也難以和他的外孫女兒相比了！

紅綾雙手齊出，拉着我和白素下了樓，向白老大眨了眨眼，白老大也略一點頭，看起來，這祖孫二人，竟然大有默契，心意相通！

紅綾笑嘻嘻地，神情看來很是佻皮，一伸手，取出了一隻絲絨盒子來，放在几上：「一個老太太，送了這東西給我，你們能不能說出那是什麼？」

我和白素互望了一眼，白素笑容滿面——那是由心底深處湧出來的歡樂，她搖頭道：「不知道能不能，你且打開來，讓我們看看。」

紅綾却背負着手，搖頭，神情更佻皮：「不，你自己拿起來打開！」

她的這種神情，叫人一看就想到：那盒子之中，一定有古怪，會有捉弄人的情形出現——像打開盒子之後，會有什麼彈出來，或是有水射出，或是有巨大的聲響，甚至電擊等等。

白素當然知道紅綾不會害她，但若猝不及防被捉弄了，倒也不免狼狽。所以她先向我望了一眼，我心中很是疑惑，因為在餐廳中，我曾見紅綾打開過這盒子，雖然她當時神情很是驚訝，但也不像有什麼特別的古怪。

那可以說是一種挑戰，當然絕無惡意，但白素也不想失敗，她一面雙眉上揚，表示接受挑戰，一面迅速地向我望了一眼，希望在我那裡，得到一些提示。因為崔三娘把那盒子給紅綾的時候，我是在場的。

可是我卻一點也給不了幫助，因為我雖然從頭到尾目擊經過，可是卻一直沒看到那盒子中是什麼。

只是，這時我看到紅綾那種笑嘻嘻的樣子，我也修正了我的想法——那不一定是惡作劇，紅綾不會有提弄她母親的心，多半只是會有很是有趣的現象發生而已。

由於我想不出會有什麼現象發生，所以我只是微微搖了搖頭。這時，白素已伸手出去，取那盒子。

白素的動作，自然優美，所以，她去取那小絲絨盒子，也自然手勢優雅，那種手勢，應該用一個「拈」字，和紅綾不論想取得什麼，都五指齊出去「抓」不同。

我期待着會有什麼有趣的現象發生，可是我看到了白素的手指，拈住了那盒子，卻並不把它取起來。

緊接着，我就發現，白素並不是不把它拈起來，而是她未能拿起它來！

白素閃過了一絲訝異的神色，紅綾笑意更甚，連白老大也是一副「現在你該知道了吧」的神情。

剎那之間，我已大是疑惑，發生了什麼事故？一時之間，實在難以想像！可是，接下來白素的行動，已經使我知道發生的是什麼事了！

因為白素改變了方式，她不再去拈，而是五指齊出，去抓那盒子，我心中陡然一凜——她這樣的動作，唯一的可能，就是那看來小小的盒子，卻十分沉重，重到令她不能再兩三根手指拈起它，而要五指齊出，用力去把它抓了起來！

剎那之間，我心頭一陣劇跳。

我心狂跳，這不單是因為想到了這小盒子極重，而是想到了另一些事，那些事，是我若干年前的經歷，神秘而詭異，總的來說，和人死亡之後的靈魂的去處，「陰間」有關。我一直在探索，和許多人，打了很多交道，也知道了很多發生在多年之前和最近的奇事，也因之結識了不少突出的人物，老少都有。

可是，整件事還沒有水落石出，還沒有結果。也正由於這個原因，所以我一直沒有把那一部分怪異的經歷整理出來加以記述。

一直到了這個故事，事情有了一定程度的銜接，我才開始把那一段經歷，有系統地整理出來。

那一連串驚心動魄，詭異莫名的故事，記述時分成幾個部分，已發表的命名為「從陰間來」，「到陰間去」、「陰差陽錯」及「陰魂不散」。

預算在那些記述之中，已可以把那一段經歷敍述完畢了，若還不能，或者還有新的發展，那麼，既然在新的發展之中，已和過去不解的謎發生了關係，自然也可以沿用我一貫的敍述方法來記述了——這些，要請各位愛看我記述的故事朋友留意。

那時，我可以肯定，不但我心頭狂跳，白素的反應，一定和我一樣。因為那段經歷，她也有份，她和我一齊，被一個陰間使者，帶到了陰間！

在那段經歷之中，有一樣很是關鍵性的東西，由亞洲之鷹羅開，托人帶給我，說那東西是「從陰間來」的。

那東西是一隻扁平的小盒子，盒中有一個環形的凹痕，其重無比，重得超乎想像之外，超乎地球人的理解，所以，不知道它那麼重的，在取起它的時候，都會很是狼狽，那情形就像這時，白素拈不起那盒子一樣。

我想到了那一段經歷，白素自然也想到了。

白素五指齊出，才把那小盒子抓了起來。紅綾已經大笑起來：「那麼重，想不到吧！」

看來，有趣的現象，就是那小盒子的重量驚人。白素把小盒子抓在手中，迅速向我看了一眼，又放下了盒子，問我：「你猜盒子裡是什麼？」

我吸了一口氣：「如果事情和我們不久前的那段遭遇有關的話——」

我說到這裡，故意拖了一拖，沒有繼續說下去。

這一下，可輪到白老大和紅綾沉不住氣了，紅綾先問：「什麼奇遇，我怎麼一點也不知道？」

七、勾魂奪命威力無窮

白素笑：「說是不久之前，也有些日子了，那時你還在苗疆做野人，自然不知道！」

白老大知道，一段經歷，能在我和白素的口中，都稱之為「奇遇」，那一定很不簡單，所以他也不禁動容，坐直了身子，指着那盒子道：「這裡面的東西，極其古怪，有很多傳說，多年來，我一直不知是真是假，那是一個大謎團——」

他說到這裡，略頓了一頓。

我立時道：「或者我們之間，互補短長，可以把謎團解開來？」

白老大立時點頭：「好！」

我吸了一口氣，心中很是高興，因為有了白老大的這個承諾，他自然不會再對目下的行動保守秘密了。

白老大答應了之後，也看出了我的心意，他笑道：「說，盒子中是什麼？」

我和白素齊聲道：「是一個環——比戒指大，比手鐲小，是一個環……」

紅綾首先神情訝異，白老大則神情很是嚴肅，他道：「你們以前見過？」

白素道：「沒見過，可是在一樁往事中聽到過這樣的一個環出現！」

如果已知道了我那一段經歷的，自然會明白何以我和白素都會一下子猜到盒中會是一隻圓環。就算不知道，只要經過簡單的介紹，也會明白，那會很快就介紹。

紅綾動作快，一掀盒蓋，果然，盒中是一隻圓環。我伸手去摸了一摸，也大是駭然——小小的一隻環，重量至少有五公斤！

這時候，我已經毫無疑問可以肯定，紅綾所得的那份「見面禮」，出自一個叫崔三娘的江湖人物之手，那隻重得不可思議的圓環，就是那隻扁平盒子的東西，扁平盒子中的那個環形凹痕，正是用來放置這圓環的！

一肯定了這一點，我的神情很是異樣，白老大立時覺察，他沉聲問道：「你說曾在一個故事中知道這個圓環，能不能說來聽聽？」

多半是他自己有太多的事瞞着我們不說，所以他怕我也不肯說，在那樣問了之後，又對紅綾道：「有故事聽了！」

白老大的意思是，就算我不願意對他說，若是紅綾吵起來，要聽故事，那我自然也會說出來。

他弄了這樣一個小小的狡猾，令我嘆了一聲，因為他大可不必如此，這樣子，反倒顯得生疏了。白素在一旁，立即知道了我嘆氣的意思，她道：「爸，我們的故事太長，能不能聽聽你的故事？你一定知道這個古怪圓環的來龍去脈！」

白老大望向白素，白素舉起手來：「我一定會把知道的一切全告訴你！」

白老大伸手在臉上抹了一下：「我們一共是五個人結義，在結義那年，崔三娘只不過十九歲，她在我們五人之中，又恰好排在第三，她年紀輕，人又長得嬌俏，但是大伙還是對她十分尊敬，都叫她『三阿姐』，連我這個老大，也這樣叫她。」

我閉上了眼睛一會，眼前浮起在餐廳中看到崔三娘左右有人扶持，又扶着拐杖，顫巍巍走進來的情形，怎麼也難和「嬌俏」這樣的形容詞發生聯繫。

但是白老大說她嬌俏時，那是六七十年之前的事了，任何老態龍鍾，滿面皺紋的老婦，都必然經過她嬌俏的少女時代。歲月不留情地雕刻、改變人的外形，每過不經意的一天，歲月就留下看不見，或不易覺察的工作成績。久而久之，任何人的外形都會變，毫無例外地變得蒼老，沒有人可以逃得過去！

白老大在說到這裡的時候，神情很是感慨，沉默了一會。我和白素也同樣感慨，只有紅綾，她的年紀使她難以了解這種情形叫人欷歔，她還伸了伸舌頭，當然是在想：那個老婆婆，怎麼會好看？

白老大吸了一口氣：「崔三娘雖然年紀輕，可是她已有了『催命三娘』這個外號，你們猜一下，她是如何會有這個外號的！」

我道：「多半是說她武功高強，下手狠辣，那個外號，在江湖上不算是特別。」

確然，「催命三娘」這樣的外號，在文明社會中聽來，是殺人，但是在武林人物，各憑武功身手，縱橫江湖的年代之中，那也不算什麼，只要出手殺過人，誰都可以有這樣的綽號。

紅綾在聽到這裡時，感到了極度的興趣。她的腦中，充滿了外星人給她的知識，可是大半個世紀之前，江湖人物爭雄歲月中的一切，對她來說，卻又陌生之極，是她知識領域中的空白，所以她才有興趣。

我還沒有說完，她已急不及得地悄悄在問白素：「什麼叫外號？」

白素也低聲告訴了她，她提高了聲音問：「那麼我的外號是什麼？」

我恰好說完了那段話，聞言哈哈大笑：「你的外號是『超級女野人』！」

紅綾很是高興，唸了幾次，向白素看去，白素忙道：「也不是每個人都有外號的！」

白老大等我們的紛擾告一段落，才道：「不是，是因為她有這圓環。這圓環，曾被叫作『催命環』，有極不可思議的事，發生在這小小的環上——它能取人性命於頃刻之間！」

一聽得白老大這樣說，我不由自主，感到了一股寒意！白素立即捏住了我的手，她的手冰涼！

我們的神情，自然瞞不過白老大，他暫不往下說，向我們望來。我和白素同時做了一個請他說下去的手勢，我還問了一句：「為什麼是『曾被叫作』催命環？」

白老大又停了一會，才道：「我沒有親眼見過，但是有人見過，很多人見過，我至少聽超過十人以上，說是見過。崔三娘十五歲那年，初涉江湖，被一幫惡人所迫，走投無路，眼看要被那幫惡徒糟塌時，那環忽然出現，歹徒一共是七個，六個當場命喪，留下一個，大約是留着他做這環有催命奪魂之能的見證，所以沒有死，但也變成了呆子，除了翻來覆去說當時那環一現，旋轉如飛，接近的人立時喪命之外，別的什麼話都不會說了，這是催命環第一次被人提及。」

我想問些問題，但是白老大作了一個手勢，不讓我說話，他大大喝了一口酒（紅綾趁機，也大大喝了一口）：「我第一次聽說這類事，自然好奇，別說那時年輕，就是年老了，聽了也一樣好奇。那時，江湖上沸沸揚揚的傳說，都說崔三娘的那環，是神仙的法寶，不然，哪有這樣的威力？」

紅綾聽到這裡，大聲道：「我知道『神仙的法寶』，就是外星人留下來的東西！」

我和白素都一起點頭，表示同意——紅綾的話，說得雖然冒失，但卻是我們一直在主張的一個看法：許多傳說中和神仙有關的事和物，其中「神仙」和「外星人」是可以畫上等號。

最近的例子是，在苗疆被認為是「神仙所養的靈猴」，證明曾被外星人在腦部植入軟件控制行動。「會發光的神仙」是穿了飛行衣的外星人。

我在苗疆的連帶經歷，可以證明這一點。

而且，那圓環，我和白素，曾在一個叫祖天開的老人的敍述中，知道那是一個自稱來自陰間的陰差的物事，而我也早已假設「陰間」是來自地球之外的力量所設置的一個空間。

所以，紅綾的話，正合我意。

白老大先是一呆，但接着，緩緩點了點頭：「後來，我也設想過那和外星人有關，但當時，我們這些人，根本不知道什麼是『外星人』——還根本沒有那樣的概念，只知道神仙，法寶！」

我道：「只是叫法不同，其實是一樣的！」

白老大笑了一下，笑容很是惘然：「那環跟住了崔三娘，每當崔三娘有危急，它就飛起來取敵性命，有一次，取了四明山黑風寨二十多人的性命，眼見催命環大展神威的，也不下十數人，事情更是傳了開去，崔三娘有這樣的法寶，也就無人不知了。」

我運用我的想像力，儘量設想當時的情形——一個少女，闖蕩江湖，而有了這樣不可思議的「法寶」在身，那種所向無敵的無限風光，可想而知。

這少女自然可以為所欲為，是禍是福，那全得靠她的性格行為來決定了！」

白老大又喝了一口酒，紅綾再陪了一口。白老大道：「崔三娘是個孤兒，不知身世，她有了這樣的法寶，在江湖上大大有名之後，想要快意恩仇，但是收養她的一個道姑，說什麼也不肯把她的身世告訴她，怕她去找仇家報仇，濫殺無辜。崔三娘放出風聲，說是她已知仇人是誰，叫仇人最好自行了斷，不然，死在她催命環下，鬼魂必下十八層阿鼻地獄，永世不得超生。若是自行了斷，還可以有再世為人的機會！」

我聽到這裡，駭然道：「她……這也霸道得可以了。她是就這樣說說，還是……她真知道催命環會有這樣的作用？」

白老大沒有回答這個問題，只是道：「不出一個月，有浙東雙虎之稱的兩兄弟，果然自盡，立下遺言，說崔三娘的父母是他們所害，與他人無尤——這催命環的威力，竟到了這一地步，那兩兄弟也是江湖上的成名人物，不是泛泛之輩！」

雖然白老大說的是陳年往事，他用的口氣也很是平淡，但是我和白素，還是聽得心驚肉跳，連紅綾也停住了酒杯，一聲不出。

確然，那「催命環」的威力太大了，竟能在千里之外，迫人自殺！自殺的人，當然確知崔三娘一找上門來，必無倖理，為了避免死後入十八層地獄，所以才自殺的！

那催命環，真是名副其實的催命環——根本不必放出來，只要崔三娘說一聲想取什麼人的性命，那人除却自殺之外，再無生路！

江湖上稀奇古怪，駭人聽聞的事情雖然多，可是像這種事，單是聽聽，也足以令人頭皮發麻了。

我和白素都半晌不語，紅綾則緊蹙着眉，顯然她在運用她已知的知識，在苦苦思索這個「催命環」究竟是什麼東西。

看到了她這種神情，我心中一動——我早已經假設「陰間」是一種「外來力量」所建立的，那麼，來自陰間的一切，自然也屬於「外來力量」，而我所說的外來力量，就是外星人的力量。

紅綾的知識來自外星人，那麼她是不是可以就這種奇異的現象，作出我們所能明白的解釋呢？

我望向她，停了一會，才問她：「你知道那是怎麼一回事？」

紅綾搖頭，伸手指敲着自己的頭：「不知道，找遍了，找不出來！」

她用的句子很是特別，我可以明白，「找過了」的意思，就是她把腦中所有的資料都找了一遍，可是仍然不明白那是什麼現象——那情形就像是電腦運作時搜尋資料的過程一樣。

我常說電腦的運作過程和人腦是一樣的，這種說法，在紅綾的身上已得到了證明，紅綾的思考方法，和三晶星機械人康維十七世，就完全一樣。

紅綾這個「超級女野人」，也不明白那種現象，我也不覺得奇怪。因為紅綾的全部知識來自她外婆所屬的那個外星人。而宇宙之間，不知有多少種外星人，建立了「陰間」，收留了那麼多地球人靈魂的，是另一個外星人，兩者之間的知識，不可能互通。

（想到這裡，我忽發奇想：若是宇宙間所有高級生物的知識可以互通，那將是什麼樣的局面？）

（地球上所有人的語言相通，就可以建造一個高塔上天堂，耶和華為此才使地球上的人各自講不同的話。但如今，地球上的電腦語言卻是一致的，而且可以互通，是不是人類已和上天快聯在一起了呢？）

（胡思亂想，雖然「不切實際」，但單是想想，也是一種樂趣。）

在紅綾處沒有答案，我也沒失望，我向白老大望去，示意他還未曾回答我的問題——何以他說那催命環「曾經可以催命奪魂」。

白老大又連喝了幾口酒，神情沉思，我和白素，真怕他説着往事，酒意湧了上來，就此睡着了。過了一會，白老大才陡然伸了一個懶腰，骨節發出「格格」的聲響，大聲吁了一口氣，繼續他的敍述。

他道：「催命環的威力如此之甚，聞者喪胆——到了這種地步，自然也不必經常使用了！」

我大是感嘆：「自然，不待她出手，個個退避三舍，誰敢惹她？」

白老大一拍腿：「所以，我認識崔三娘之後，沒有見她用過那催命環，也沒有目睹過那環如何取人催命，致人於死的經過。」

白素遲疑地問：「那環……已沒有了催命奪魂的能力了？還是使用的方法失傳了？」

白老大一字一頓：「是喪失了能力，那是一次，崔三娘在酒後向我説明的，她説這是一個秘密，除了她自己之外，只告訴了我一個人。我當時就嚇了一大跳，因為這秘密若是傳出去，崔三娘有一百條命，也不夠仇人殺的，她用催命環殺了不少人，仇人越結越多，為了怕她那法寶，這才不敢報仇，若是知道了她法寶失靈，那還有不立刻向她下手的嗎？」

白老大說到這裡，忽然長嘆了一聲，喃喃地道：「她把這個秘密告訴了我，也就等於是把一條命交在我手上了！」

我和白素，聽到此處，已明究裡，但紅綾卻不明白，她張口想問。

白素不等她出聲，就伸手掩住了她的口，不讓她問出聲來。

紅綾想問的問題自然是「那崔三娘為什麼要把命交在你手上」，而這個問題的答案，却再簡單不過——白老大外形俊朗，為人行事，豪邁豪直，英氣迫人，這樣的英雄豪傑，最能令女性心儀，他這一生之中，也不知曾惹得多少女性傷心過，蠱苗的公主金鳳，哥老會的鐵頭娘子，督軍的千金……這些還全是我們知道的，像崔三娘這樣，塵封在他的記憶之中，偶然透露了一下的，只怕還不知有多少個！

白素不讓紅綾問，自然是怕白老大傷感——那至少六七十年之前的事了！

白老大再長嘆一聲，伸手摸了一摸頭，一面喝酒，一面低吟：「高堂明鏡悲白髮，朝如青絲暮成雪！」

白素柔聲道：「爸，六七十年了！」

白老大感慨：「恍如昨日啊！」

老年人感嘆起時光飛逝來，都這樣說，我補充了一句：「人生若此，可以無憾！」

白老大瞪了我一眼：「一身是憾，你偏說我無憾！」

我吐了吐舌頭，不和他爭辯。

白老大又停了一會，才道：「我聽了大吃一驚，問她是怎麼一回事。她才告訴我，那環的奪魂功能，只持續了一年，便已失效——那正是贈環之人告訴她的。當時，她根本不信小小的一枚環，可以殺人於頃刻之間。後來，她也不相信一年之後會失效，但事實證明，那贈環人的話，一一實現了！」

紅綾聽到這裡，忽然很是正經地道：「我知道，贈環給她的是神仙，神仙是什麼全知道的。」

她這樣説了之後，我們大家還不知道該如何反應才好，她又補充道：「媽媽的媽媽成了神仙，她就教了我很多東西，我相信她的話，每一個字都相信！」

我和白素互望了一眼——紅綾在她的外婆處，究竟得了多少好處，我們一直不知道具體的情形。這時紅綾這樣説法，看來所傳的「好處」，遠在我們想像之上。

白老大聽得紅綾這樣説，只是默默地喝着酒。我倒感到紅綾的話，邏輯性很強——那環既然是外星人（神仙）的東西，那麼，把環給崔三娘的是神仙，不是很順理成章的事嗎？

等了一會，還是白素先問：「爸，是誰給了崔三娘那環的，真是神仙？」

白老大答非所問：「當時我聽了崔三娘道出了這個秘密，嚇得出了一身冷汗，也知道她實在擺了幾年空城計，心理上的壓力之大，可想而知，她根本一無可恃，那種提心吊胆的日子，怎能長久過下去？所以我勸她立刻退出江湖，改名換姓，再也別見任何熟人，連我們四個結義的兄弟，也不必再見了，不然，就算我們再神通廣大，也擋不了那麼多人的報仇！」

我聽到這裡，突兀地加了一句：「崔三娘聽得你這樣勸她，一定勃然大怒了？」

白老大望向我，神情奇特，奇怪我何以能料到當時的情景。

其實，那再簡單沒有，一個在江湖上也有極高聲名的妙齡女性，忽然向一個英偉俊朗的男性，透露了這樣性命交關的目的，那根本已是很直接的示愛和願意把她的終生相托了。

可是白老大不知是真不懂還是假不懂，竟然勸她立刻去隱名埋姓，再也別見熟人，她在失望之餘，還有不老羞成怒的麼？

白老大望了我好一會，才道：「是，崔三娘聽了我的話之後，勃然大怒，喝令我再說一遍，我說了，她取出那隻環，向我拋了過來。我一見那環的來勢極兇，蓄定了勢子，伸手接住了，但是未曾料到這環如此沉重，她在拋出之際，又用足了力道，所以力道一下子接不上，雖然接住環，可是腕骨也被震脱了骱！」

我和白素聽得大是駭然，以白老大之能，尚且如此狼狽，崔三娘盛怒可知。

白老大續道：「當時我左手接過了環，順手一托，已經接上了骱，表面看來，若無其事，但是也痛得可以，崔三娘厲聲咒罵，説……説好恨那環已然失效，不然，就定當取了我的性命，奪了我的魂魄！我仰天長笑，把環拋還給她，又把勸她的話，一字一頓，重覆了一遍，這才離她而去。」

紅綾對那些經過沒有興趣，她追問着白素曾提過的問題：那環是不是神仙給她？

白老大仍然不回答，自顧自地説着：「自那次之後，我就一直沒有再見過她，只知道她當時雖然盛怒，但還是聽了我的勸告，果然自此銷聲匿跡，再也沒有人知道她去了何處。若干年之後，她的仇家，也看出些蹊蹺來，有幾個胆子大，又報仇心切的，就放出消息，說是要找她算帳，她也沒有露面！一直到不久之前，我忽然接到了黃老四的一封信，問我是不是想見一見故人，我想起我們五人結義，已超過了一個甲子，居然還都在世，可說是難得之極，這才來了。」

白老大的這一番話，聽來像是平平無奇，但如果知道黃老四早已死了，是他的鬼魂附在一個小女孩的身上，發出邀請的，那就怪異莫名了！

白老大陡然一揮手：「我們老兄弟相會的事，和你們無關，你們說曾在一個故事中知道有這樣的催命環，現在該輪到你們說了！」

我和白素，都明白他的意思，是不讓我們過問黃老四何以要把舊相識聚在一起的事，他這樣說了，我們自然不會再問，我問的是另一個問題：「是什麼人把那環給崔三娘的？」

八、細說往事

這個問題，白素問過，紅綾問過，我再次提出來。紅綾問了，可能只是好奇，可是對我和白素來說，這個問題，重要之至！

在我立刻就會告訴白老大的那個「故事」之中，這個催命環的持有人，擔任着一個極其重要的角色，腥風血雨，結義兄弟反目，武林大豪全家一百餘口慘死，一段血海深仇，都是由那個催魂環的持有人生出來的禍事！

所以，弄明白崔三娘是由什麼人的手中得到那個環的，重要之至，因為雖然事情超過了六十多年，還有一個極出色的青年人，正被當年那血海深仇所糾纏，不擺脱那段血仇，難以過正常的生活！

在我又一次問了這個問題之後，我們一起靜了下來，等白老大回答。

白老大揚了揚頭：「我不是十分確知，因為崔三娘只提了一些，語焉不詳，她只是説，是一個異人給她的——當然那是異人，不然怎會有這樣的法寶?」

他這樣的回答，自然令我們大失所望，白素要求：「爸，你和崔三娘還會相見?」

白老大一聽就明白了：「這事那麼重要?要我去求人家找答案?」

白素立即道：「是不是重要，你聽了我們的『故事』之後，由你來決定。」

白素這樣說了之後，向我作了一個手勢，示意我先開始敍述。

我想了一想，才道：「整件事的牽涉範圍極廣，可以從一個叫祖天開的人說起，這個人已極老——」

我說到這裡，白老大就震動了一下：「這人和怪事有關!這人是一條漢子，我曾向阿素說過這人的往事!」

我點了點頭，白老大知道祖天開是何等樣人，我敍述起來，就容易多了。

我道：「這祖天開好男色，他結識了一個名叫王朝的男子，關係親密——」

白老大悶哼一聲：「沒聽説過！」

他自然是説沒聽説過王朝這號人物，那含有相當程度的輕視。

於是 我再説祖天開和王朝，在武昌黃鶴樓，遇見了一個人，自稱從陰間來，就叫着「陰差」，那陰差説是有一寶物，能叫人許願如願，是他從陰間帶出來的，已托了一個人送回陰間去，那個被托者的名字是曹普照，恰好是祖天開的把兄——

這其間的經過，極其複雜，主要記述在「陰差陽錯」這個故事之中，我這裡只是簡略地一提而已——當然，我在告訴白老大時候，要詳細得多。

白老大一聽到曹普照的名字，又道：「這姓曹的，更是一條漢子，他續娶了一個大美人，大宴群豪，那時我還够不上赴宴的資格！」

那場婚宴，祖天開已也曾説起過，白老大對於江湖上的事，熟到了無所不知的地步，他又道：「大美人之美，據説是男人一見，就難免要魂飛魄散的，所以曹老頭新婚一夜之後，銷魂真箇，就覺得人生除了嬌妻之外，再也沒有任何值得留戀之處，所以就宣佈退出江湖了！」

這一段經過，祖天開也說過。白老大在說了之後，定定眼望住了我，像是要我肯定他的話一樣。白素嗔道：「爸，你怎麼啦！他又未曾見過那大美人！」

白老大笑了起來：「照我看，那大美人未必能比得上我的女兒！」

我抓緊機會：「這個何消說得，祖天開當年就對那個大美人不屑一顧，可是他一見令嬡，就說她美得如同天上的仙女一般！」

「祖天開真的曾這樣說過。」

白素微笑：「別肉麻了！」

紅綾也來湊趣，高舉着手，大聲道：「是，媽媽真好看！」她說了這一句之後，忽然又頓了一頓，再道：「媽媽的媽媽也好看！」

此言一出，白老大笑容頓凝，紅綾也有點知道，她向白老大扮了一個鬼臉：「可是我不好看，應了遺傳學上的公式——」

接着，她就背了幾個公式——遺傳學的公式很是複雜，連她外公如此博學，都無法聽得懂，但我們三人，都異口同聲：「你一點不難看，好看得很！」

我們這樣說，都由衷之極——世上少有在父母眼中難看的女兒，更少有在外公眼中難看的外孫女兒！

紅綾咧着嘴，笑了起來，她的好奇心強（我的遺傳），忙催：「說下去！」

白老大道：「可是過不幾年，却聽說他全家大小，近百餘口，一起遭了瘟疫，死得不明不白。附近的人怕瘟疫蔓延，把他那十進十出的大宅，一把火燒成了白地。」

我搖了搖頭，慘事發生之後的情形，祖天開沒有說過（他不是不對我說，而是連他也不知道），我當然也沒有聽說過。

白老大感慨起來：「聽說其人，高有八尺，天神一般，武功絕倫，未曾見他一面，倒是憾事！」

他說到這裡，瞪了我一眼，我知道他還在惱我剛才曾說他一生無憾，所以我笑：「若這也算是憾事，那三萬八千件也不止！」

說了之後，我又補充一句：「不過，他的孫子在，身高超過兩公尺，壯健無比，你有機會見到他。」

我說着，站起身來，比了一個高度，那是我記憶之中，曹普照的孫子，曹金福的高度。

紅綾也站了起來，看着我所比的高度，大感興趣：「真有那麼高的人？」

我點了點頭：「就有，他說他有一個姐姐，也高，比你還高！」

紅綾一副心嚮往之的神情，我順口道：「你一定有見到他的機會！」

我之所以如此肯定，是由於曹金福身負「血海深仇」，非報不可，唯一的線索，就是仇人從陰間來，根本無從尋找。而今，紅綾所得的那隻圓環，正是來自陰間的異物，崔三娘也在世，那是極重要的線索，我已經準備通知曹金福了。

曹金福前幾年，在和祖天開見了面，向祖天開謝了恩之後，曾樂觀地說：「恩人已出現了，找到仇人也就不難了。」

可是，一直以來，我也在幫他留意，却是一點結果也沒有。

在我的力勸之下，曹金福雖然仍以報仇為己任，但是心態也正常了許多，能够在社會上過群體生活，而且，也聽我的勸，把一身武功，隱藏得很好——事實上，他根本不必展示自己的武功，單是他的身型，已足够令任何人在他面前，不敢妄動的了。

曹金福在一個偶然的機緣中，曾和奇怪俊俏的原振俠醫生，有過一些離奇的經歷。至於他和祖天開之間的古怪恩怨，都記述在「陰差陽錯」這個故事之中。

由於這個人在以後的故事發展中有相當重要的地位，所以才簡單地介紹一下。

白老大皺着眉：「不是說全家都遭了瘟疫嗎？怎麼還會有孫子？」

我嘆了一聲：「不是遭了瘟疫，有一個七歲的孩子，倖免於難——」

接着，我便將陰差、祖天開、王朝三人，如何到曹家大宅去，王朝想奪那許願寶鏡的經過，較詳細地敍述了出來，那一段經過，很表現人性的卑劣面。

所以，白老大越聽越氣，一生氣就罵，既然是罵人，措辭自然不會典雅，紅綾也就聽不懂，所她一直在問：「人怎會是龜蛋」、「兔二爺是什麼」、「什麼叫屁精」，白老大沒有即時加以解釋，我假裝聽不見，白素則皺眉不已。

後來白素埋怨我：「爸說這種粗話，你也不阻止他，叫紅綾聽了多不好！」

我並不氣惱，只覺得好笑，我給白素的回答是：「老人家的心理，有時和小孩子一樣，爭勝性很強。你有沒注意到，紅綾雖然從來也沒有賣弄她的知識，但是老人家却在有意無意之間，說一些在紅綾知識範圍之外的話，來引她發問——你沒見紅綾在問的時候，老爺子充滿了喜悅的表情嗎？」

白素想了一想，也不禁笑了起來，因為我的分析，很是正確。譬如說，聽到白老大說了「龜蛋」這個詞，紅綾的腦細胞立即開始活動，她可以在極短的時間之內，把龜蛋的化學成分一一背出來，可是她卻找不到何以可以把人稱為「龜蛋」的資料，她不知道那是一句傳統的罵人話，當然感到奇怪，要發問，白老大就感到了滿足，白素把問題看得太嚴重了！

這些都是題外話，說過就算。

且說我當時，把自祖天開處聽來的「故事」，原原本本告訴白老大，同時，也希望紅綾能聽得懂，在講的時候，遇有我認為紅綾不明白之處，白素都會立刻加以簡單的解釋。

當我說到在曹家大宅之中，祖天開看到二三十個人，突然死亡時，連我也感到了一股寒意，因為當年發生的事，實在太怪誕了！

白老大緊抿着嘴，紅綾張大了眼。我繼續向下說，說到了祖天開看到，那個自稱陰差的神秘人物，在控制着一個圓環飛行，或是那個圓環在自己飛行——當時的情景，事隔多年，祖天開雖然一再強調「歷歷在目」，但是我相信在當時，在狂亂的恐懼之中，根本已失去了判斷的能力，所以那環是在什麼樣情形之下，盤旋飛舞，取人性命的，他也說得不是很清楚。

白老大聽到這裡，陡然睜大了眼，雙目之中，精光大盛，他取過了那隻圓環來，向上拋了一拋，再接在手中，疾聲問：「就是這隻圓環？」

我遲疑了一下：「如果這圓環，也有殺人於頃刻之間的能力，那麼，至少是同類。」

白素揚了揚手，她說得很是緩慢：「說那圓環，能取人生命，比說它殺人更恰當！」

我和白老大異口同聲：「有什麼不同？」

白素搖頭：「我也說不上來，那只是我的……一種感覺！」

白素的話，說得很是模糊，可是我却可以明白她的意思。看起來，「取人性命」和「殺人」像是同一件事，但是在感覺上，却略有不同。

「取人性命」傾向於無聲無息之間，就使人喪失了性命，幾乎沒有過程——那圓環捲起一團陰風，致人於死時，就是取人性命。

而殺人，都有過程和動作，會有血肉橫飛，呼叫哀號的場面出現。

雖然結果同是死亡，但略有不同。

我認同了白素的說法，所以道：「那圓環，在取人性命之後，被陰差收回去，收進了一隻扁平的盒子之中——我見過那盒子！」

我說完了當年在曹家大宅中發生的滅門大慘案之後，又說了在那個「愛酒人協會」一年一度的品酒大會上發生的事。事情忽然一轉轉到了看來絕然無關的另一樁事上，一開始，自然令白老大和紅綾兩人感到了詫異，但是他們一樣聽得興致勃勃。

因為我知道在那次事中，都有可以吸引他們的注意力之處。吸引了紅綾注意的，自然是盜墓專家齊白，自古墓中找來的那兩罈酒，實在太精采了，聽得她眉飛色舞，砸舌不已，後來連連嘆息，深恨當時自己在苗疆當野人，偷苗寨的酒喝，沒能趕上這個盛會。

是我看到了她的這種情景之後，我說了一句：「這種古酒，當然再難有了，但是每年的品酒會還是在不斷地召開，會有機會！」

紅綾一聽，高興得連話也不會說了，只是咧着嘴笑。

而在那個酒會之中，能吸引白老大注意的，是到最後，那幾個沒有醉倒的人。

我先提出了曹金福來，因為曹金福是曹普照的孫子，他一出現，兩件風馬牛不相及的事，就聯在一起了。

白老大聽到曹金福是雷九天這個武林高手的弟子，也不禁「啊」了一聲：「雷九天是一個人物，雖然曾投靠權貴，但是最後也沒有再去當那芝蔴綠豆官！」

我強調：「曹金福是一個很單純的孩子。」

（那個酒會中發生的一切，也在「陰差陽錯」這個故事之中。）

我又提到了那個受亞洲之鷹羅開所托，把一個據稱是從陰間來的盒子帶給我的那個怪人，詳細地形容了他，等白老大說出他是什麼人來。

白老大皺着眉：「羅開未和蠻苗打交道，這人應該是西藏西康一帶出來的，我看和連天峒有點關係。連天峒與世隔絕，武術自成一家，很是神秘，可以不理——那盒子呢？當然就是放圓環的了！」

我苦笑：「盒子叫人偷走了？」

白老大一怔：「就在你們的眼底下叫人偷走的。」

想起當時的情形，我仍然氣憤臉紅——當時，自然更是尷尬，雖說下手之人手段高強，但我也始終有陰溝裡翻船之感。

我就把當時就在我們眼底下，失去了那盒子的情形，說了一遍，才說到那乾瘦老頭子哼着朝鮮民歌「阿里郎」時，白老大就跌足：「他已擺明了自己是金取幫的人，你們竟一無所覺，這江湖閱歷也……也……」

他當然是想批評我們江湖閱歷太淺，但是總算顧我的面子，沒有直說出來。

我只好道：「當時人人都醉了，只有那老頭，只怕是裝醉！」

白老大大聲道：「當然是，只是奇怪，金取幫自名是天下妙手空空的組織，向來不盜無名之物，那盒子除了沉重之外，別無奇處，難道他竟已知道了奥妙了麼？」

白老大的這個問題，也沒有人能回答，他攤開手，盯着手中的圓環看，喃喃自語：「這樣的一個小環，竟能取人性命於無形，真不可思議！」

我趁機道：「崔三娘曾用過它，由她親口來説其中奥秘，一定可以多點理解！」

我極想和崔三娘直接交談，問她這催命環自何而來，問她如何使用這催命環，以解心中之疑。

白老大對我的話，不置可否，只是問我：「這些日子，失去那盒子，一直沒能找回來？」

我支吾了一下：「也沒有傾全力去找！」

白老大瞪了我一眼：「要找金取幫的人，得到韓國去找，不能哭着等！」

我漫聲以應：「一有機會我就去。」

白素接着問：「爸，你看那美婦人，是什麼來路？」

白老大凝神想了一回，忽然長嘆了一下：「天下之大，能人之多，如恒河沙數，我竟說不上那是什麼路數來。不會是木蘭花，穆秀珍姐妹？」

我向白素望去，穆家姐妹，我只見過秀珍，沒見過木蘭花，白素是兩個都見過的。

白素搖頭：「我早已想過了，不是她們！」

白老大一攤手：「那就不知道她是誰了，天下臥虎藏龍，能人多的是，越是久歷江湖，越是小心謹慎，就是這個緣故。」

紅綾自白老大的手中拈起那個環來，皺着眉，沉吟不語，我們都知道，她不能有特殊的見解發表，可是等了一會，只見她搖了搖頭，並沒有說什麼。

白素望向我，緩緩地道：「多年之前，你曾有一宗奇遇，有一類外星力量來地球上找尋地球人的靈魂——」

我「啊」地一聲，記起了那件事來，那件事超過十年了，曾記述在「搜靈」這個故事之中。此際令我發出驚呼聲的是，那個故事之中的外星力量，在視線的接觸上，是一個圓形的光環，而且這個光環，曾經出現而令一艘大軍艦上的兩千多士兵全部喪生！

這情形，和祖天開所說，在曹家大宅中的「催命環」取人性命的情形，很是吻合——我當時在聽祖天開說的時候，就覺得這種情景，我應該很熟悉，但一時之間，想不起來，直到此時，經白素提及，這才想起。

我忙又把那個故事中圓環出現取人性命的經過，也簡略說了一下。

紅綾用很低沉的聲音道：「這圓環有一種力量，可以把人的靈魂在剎那之間，驅離身體，集中起來，人沒有了靈魂，自然生命也結束了！」

紅綾的話，一下子並不容易明白，她在我們三人的注視之下，雙手亂搖：

「我也只想到了這些，別再問我，我不知道！」

我握住了她的手：「你剛才所說的，對於解開謎團，已經很有點用處了！」

紅綾受了鼓勵，很是高興。

白老大一口喝完了杯中的酒，長長地伸了一個懶腰，指着那圓環：「小心收好，這東西，雖然已沒有了催命奪魂之能，但總是神秘莫測，說不定有朝一日，它又復活了，會恢復功能！」

白老大把「復活」這樣的詞句加在一個圓環之上，聽來不免有點匪夷所思。但是想想那是「催命環」，倒也不是不可接受！

他說一句，紅綾答應了一句。說完之後，白老大站起身，用手拍着口，打着呵欠，上樓去了。

聽到了樓上傳來了關房門的聲音，我向白素傳了一個眼色，表示有話要對她說，白素却已急急向紅綾道：「這環很是沉重，你還是不要帶在身邊的好！」

紅綾却不經意地道：「我不覺得重！」

她說着，就把那環，穿進了頸鍊之中，和降頭師猜王所贈的那塊琥珀，掛在一起，白素看得皺眉，明顯不以為然，但是也沒有再說什麼。

尋常人，要是在頸際掛上了超過五公斤的重物，那是一種刑罰了，古代的「枷」就是以重物加諸頸的。可是紅綾力大無窮，掛上了之後，若無其事，跳跳蹦蹦，也就上了樓。

白素壓低了聲音：「那圓環說是從陰間來的，大是詭秘，又能取人性命，孩子帶在身上，會不會陰氣太重，引來鬼魅作祟？」

白素平日，絕不是講究這些過節的人，但事情和女兒有關，她自然小心了起來。

我說了一句話，就釋去了她的疑慮：「我看不要緊，那崔三娘和這環在一起，超過一甲子了，也不見有什麼災禍臨身。」

白素吁了一口氣：「說得也是——你有什麼話要對我說？」

我也壓低了聲音：「老爺子有事瞞着我們。」

白素怔了一怔，不說什麼。我又道：「說了大半天的話，都是我們在說，他什麼也沒說！」

白素不同意：「他也說了崔三娘和那催命環的事。」

我用力一揮手：「他們五個人，當時是在什麼情形之下結義的？相互之間的關係怎樣？最重要的是，黃老四如今的身分如此異特，為什麼還要千方百計地求聚會？黃老四給了老爺子一張紙，紙上寫的是什麼？這一切，他連一點也沒提起！」

白素苦笑：「你不是想他把一舉一動全部告訴你吧？」

我吸了一口氣：「至少我要知道他在做什麼。黃老四也好，崔三娘花老五也好，都不是等閒人物，黃老四更是一個鬼，老爺子要是一不小心，有了什麼失閃，那我可擔待不起！」

白素笑了起來：「這話要叫爸聽到了，他不笑個半死，也會氣個半死！他

「一生闖蕩江湖，什麼時候曾吃過虧來，你倒替他擔心！」

九、誰是那個「老二」？

我望了白素片刻：「一來，他年事已高。二來，他拉着紅綾一起行事，我總有點不放心！」

我的後一句話，倒是打動了白素的心，她沉吟了一下：「我們繼續跟踪！」

我還是這個意思：「我們輪流，在暗中保護、觀察，總不會有壞處的——我看今晚上老爺子就會有行動！」

白素大訝：「何以見得？」

我道：「中午在餐廳中，黃老四只是遞了一張小紙，沒有機會和任何人說話，那紙片上極可能是約會的時間、地點，以『陳安安』現在的身分，能自由活動的時間，就只是夜闌人靜了！」

白素連連點頭：「會和紅綾一起行動？」

我點動：「大有可能！」

白素有點傷心：「紅綾竟不告訴我們？」

我笑：「和媽媽的爸爸有密約，不告訴父母，這是正常的童年行為，普通得很。」

白素無可奈何，接受事實，我道：「今晚仍然由我來出馬！」

白素沒有異議，只是道：「沒有聽爸的分析——當年陰差為什麼要這樣做？」

這個問題，我想了許久，了無進展。我道：「還怕沒有討論的機會嗎？」

我們也上了樓，紅綾在這幾句話間，已經酣睡，面色紅潤，氣息均勻，略有汗珠，白素替她輕輕抹了去。

我和白素雖然都不出聲，可是心中都感慨之極，因為發生在紅綾身上的事，實在太不可測了，在那麼短的時間之中，已經有了那麼大的變化，誰也無法在以後的日子中，又會有什麼新的變化！

我們看了紅綾好一會，白素向我作了一個手勢，和我悄然退了出去，她却推開了書房的門，等我也進去之後，她反手關上了門，輕靠在我的身上，這動作溫柔之極，使我的心中，感到了一陣溫馨。可是她接着說了一句話，却令我嚇了一大跳。

她道：「這孩子，在裝睡！」

我怔了一怔，白素又道：「她不會使奸，不知道人在酣睡之中，鼻息的長短是一定的，所以裝睡要控制氣息，她就不懂！」

我已經定過神來，先說了一句：「別教會她，不然，她再裝睡，會把我們騙過去了，你別緊張，必然是一老一少，在今晚就會有特別行動，我得去準備一下了。」

我早已料到過白老大今晚會有行動，也料到紅綾和他之間，可能有某種默契——紅綾在裝睡，自然是想擺脫我們去行事。

白素仍有點氣惱，可是一轉念間，她又不禁笑了起來：「老的比小的還淘氣，我們該怎麼辦？」

我道：「我盡快去準備一下，然後我們也裝睡，以方便他們行事。」

白素又是好氣，又是好笑：「一家人竟然要弄到爾虞我詐過日子，真不知從何說起。」

我却覺得有趣，推着白素進了臥室，到書房略事化裝，又帶了一些「夜行」的必需品，也進了臥室。

我們把門虛掩着，睡不着，也不出聲。

至少過了兩小時，我似乎真的要睡着了，才看到房門被悄悄推開，紅綾探進頭來，鬼頭鬼腦地張看了一下，她的眼睛，即使在黑暗之中看來，也很是明亮。

然後，她仍把門虛掩，退了出去，行動之間，當真是一點聲息也沒有。

一等她退回去，我就一躍而起，向窗口指了一指，在不到十秒鐘的時間內，我已經從窗口竄出去，離開了屋子。

在我迅速行動中，好像聽到白素發出了一下低嘆聲——她自然對這種情形，不是很滿意。可是她白髮蒼蒼的老父，結褵多年的丈夫，以及百劫餘生的女兒，都喜歡這樣，她又有什麼法子。自然在無可奈何之下，只好長太息了。

離開了屋子，轉過屋角，就看到有一輛車子，停在斜路口上，雖然熄着燈，但是車中分明有人。

那時，白老大和紅綾多半還在小心翼翼地自樓梯上走下來，要不發出任何聲息把門弄開。

我看了看時間，是凌晨兩時，要跟踪他們，我完全處於上風。

我已有相當長一段時間沒有做這樣的勾當了，連自己也覺得好笑。我利用了路旁樹木的掩遮，很快就到了離車子不遠處。

這時，我已經可以看清，在那車子中，開車的是一個胖子，正是在餐廳中曾見過的花老五。而坐在後座的，則是崔三娘——如今大可稱她為「催命三婆婆」了。

他們當然是在等白老大，我在離車子約有五公尺處，揮了兩次手。當然不是在和他們打招呼，而是在第一次揮手時，把一個會發射無線電波的跟踪器，貼到了車身上，使我可以舒服地跟踪他們。

而第二次揮手，需要很高的技巧，我把一個高度靈敏的竊聽器，貼上了車後窗的玻璃。這種竊聽器，能捕捉極微弱的音波震蕩，靈敏之至，車中別說有人講話，就算有一隻豆娘在振翅，也會被記錄下來。

在我完成了這兩件事之後，白老大和紅綾，也到了車子的旁邊。

白老大在打開車門的時候，我聽到崔三娘尖聲說了一句：「怎麼把小丫子也帶來了？」

白老大的回答是：「帶她去見識見識——其實，她懂的比你我加起來還多！」

崔三娘當然不信，發出了一下冷笑聲。

白老大自己坐在花老五的身邊，命紅綾坐在崔三娘的旁邊，我聽得他在吩咐：「孩子，向崔三婆婆說說你的經歷，簡單一點就行。」

我聽得白老大這樣吩咐，不禁皺了皺眉——老人家也真是，紅綾是猴子養大的，曾是野人，這又有什麼值得逢人便說的？

不過紅綾看來並不在乎，爽朗地答應了一聲，就簡述了起來。

所以，當我上了車，開啟了儀器，確定了他們的去向，竊聽器也發生作用之際，紅綾還在敍述她的經歷，不過已說到尾聲了，說到她見到了媽媽的媽媽之後發生的事，以證明白老大剛才對她的評價。

在她說完了之後，有好一陣子的沉默，才是崔三娘的聲言，她的聲音發顫：「如此說來，人竟真的有不死之道，不老之道……」

人老了，最希望的是離死亡越遠越好，崔三娘的反應，很是正常。

但白老大的回答却很令她洩氣：「人沒有不死的，能不死的，已經不是人！」

崔三娘的吸氣聲清晰可聞，白老大又道：「那可不是人人能有這種機緣的，我們還是努力一下，弄清楚自己死後的情形，實際一點。」

白老大的話，很是駭人聽聞，也着實嚇了我一跳。一時之間，分不清白老大是在說氣話，還是在說真的。

若是他真的想弄清楚人死了之後的情形，那豈不是要到陰間去才行。

在白老大說了之後，又是一陣沉默，才是花五的聲音，他說起話來，仍然大有「旦腔」，陰聲細氣：「要說人百年之後的事，四哥應該最清楚——他早已死了，却還能再在陽世活動。」

白老大和崔三娘一起悶哼了一聲，那明顯地表示他們雖然對黃老四大有不滿，但也同意花五的說法。

那時，我的車子和他們保持了一定的距離，不會被他們發現，但是我却可以清楚聽到他們的對話。

崔三娘忽然又笑了起來：「黃老四現在變成了一個小女孩，照我看來，還不如做鬼了！」

花五嘆了一聲：「雖然我一直相信有鬼，可是一個熟人，死了之後的鬼，上了小女孩的身，這樣的事，一到臨頭，也够駭人的了。」

崔三娘又問：「你整個樣貌都改變了，他怎麼還能認出你來？」

花五道：「你忘了我手臂上有刺花了嗎？一朵蓮花，金取幫的標誌，終生不褪。那次，她由人帶着來餐廳，給她看到了，她仰着頭對我說那幾句話的時候，我幾乎沒昏了過去。」

白老大冷笑：「就算叫人認出了，也不值那麼害怕。」

花五連聲道：「老大，意外啊……太意外了……一個小女孩，忽然對我說：『我知道你是金取幫的，向你打聽一個人，是我老相識，姓花，名旦，行五，你可知道他現在的下落。』當時，我張大了口，盯着她，差點沒連眼珠都掉了下來。她又道：『你別大驚小怪，答我的問題。』我這才出氣多入氣少地回答：『我……就是花旦，可你閣下是誰？怎會和我是老相識？』」

花五和「陳安安」那次相遇的過程，很是有趣，花五在車中講起來的時候，語音之中，仍有餘悸，可知他當時的震憾，是何等之甚。

當時，他盯着眼前的那小姑娘看，心頭的駭然，難以形容，雖然他在小姑娘的眼神之中看到了不應屬於小女孩的神采，也竟然很有點熟悉，但是隨他怎麼想，也想不到黃老四的身上。

而「陳安安」已經給了他回答：「我是你四哥，黃豪，黃老四。」

這句話一入耳，花老五的口張得更大，喉間發出可怕的、怪異的聲響。這時，幸而他們的身邊沒有別人，不然，真還不知會有什麼反應。

黃老四也顯然知道自己情形的怪異，所以他急急道：「我本來是孤魂野鬼，暫借了這個身體，圖的就是想能有機會和你們相見。」

花五雖然震撼莫名，但是他畢竟久歷江湖，見多識廣，在黃老四的話中，立即明白了是怎麼一回事，可是一時之間，他還是出不了聲，只是連連點頭，表示明白。

黃老四立即問：「白老大呢？最要緊是找到他，有了他之後，事情就好辦。」

（花五說到這裡的時候，白老大發出了一下乾笑聲：「承他看得起。」）

花五這才開始喘氣：「不是很清楚，聽說早已退隱，在法國隱居。」

黃老四急道：「去找他，至少，傳信息給他，告訴他我現在的情形，再告訴他，我知道老二的一些事，太奇特了，只有他能……能……」

黃老四沒能說完，就被陳太太牽走了，花五用力拍打着自己的腦袋，像是做了一場惡夢。

他並沒有立即開始找白老大，因為事情太奇怪，到了不真實的地步。

到了大半個月之後，「陳安安」又出現在餐廳，嚴厲指責他不去找白老大，他才接受了這個怪異的事實，千方百計，找到了白老大的所在處，寫了一封信，把見到了黃老四的情形，告訴了白老大。

這自然就是白老大忽然出現的原因了。

我心中在想：白老大肯再度出山，不是為了黃老四的怪異現狀——對白老大來說，「鬼魂上身」這種事，他不會大驚小怪。

能使他再度出山的，只怕還和黃老四所說「他知道老二的一些事」有關。

那個「老二」，是他們結義的五人之中的一個神秘人物，連白素也不知那是誰，白老大只告訴過她，那老二是一個當官的，官還當得不小而已！

而憑「知道老二的一些事」，就能得到白老大出山，可知，「老二的一些事」，一定是白老大早想知道，事關重大的當年隱秘。

花五在停了片刻之後，又道：「老四一定要見了老大，才說老二的事，也不知為了什麼。」

他在這樣說的時候，神情可能有點怪，所以我聽到了崔三娘的聲音：「你盯着我幹什麼？這要問老大。」

白老大却突然轉變了話題：「老五，我也向你打聽金取幫的一個人。」

花五像是吃了一驚：「這……我和幫中人物，久不來往了，只怕說不上來。」

白老大都不顧花五的推搪，逕自道：「這人，在不幾年之前，是一個乾瘦老頭兒——」

白老大接下來所說的，使我知道，他打聽的那乾瘦老頭，就是我對他說起過，在古酒大會中，竊走了那隻怪異盒子的那個老頭子。

白老大一路說，我就一直聽到有古怪的人聲，那是花五聽了白老大形容之後的反應。等到白老大上下說完，就是一下車子陡然刹停的聲音，和崔三娘的詈罵聲，我也立即看到前面的車子，陡然停了下來。

我忙趁黑暗，也把車子停在路邊。

只聽得白老大在罵：「老五，你怎麼了，有老鼠竄進了你的袴襠？」

花五一發急，說話之中，帶了一口的東北腔（他在韓國長大，那裡的華人，多的是東北老鄉），他很是吃驚：「你……咋問起這個人來了？」

白老大冷冷地道：「那人是誰？」

花五的聲音發着顫：「是……我久已不問幫事，我真的一時之間想不起來，等我……去打聽一下……老大你問起這個人……是為啥？」

我聽到這裡，心中暗笑，因為花五的掩飾功夫太拙劣了。他的反應，說明他完全知道那人是誰，可是他卻說不知道。

而白老大的回答，也令我一怔，他竟然也不說真話，只是道：「沒啥，隨便問問。」

這兩人是在六十年前的結義兄弟，久別重逢，尚且互相之間這樣不誠實，正合上了「白首相知仍按劍」這句詩所寫的情景，難道江湖上行事，正應如此？

這時，前面的車子繼續前駛，我又跟了上去，車中有好一會沉默，才聽得白老大又問：「對老二的事，你該特別關心點，對不？」

我正確不定白老大在對誰說，就聽崔三娘道：「是，二倌對我特別好，人非草木，總多點關心。」

崔三娘稱那個老二為「二倌」，這是在江南的一個很是親匿的稱謂，一般來說，稱呼男註子叫「小倌」，若是用來稱呼年紀大的異性，那就很是親昵了。由此可知，崔三娘和那老二之間，很有點特別關係。

白老大乾笑了一聲：「說真的，我們一直不明白，你們何以沒能成其好事。」

向一個鷄皮鶴髮的老婆婆，問及當年的情事，應該是一件好有趣的事，但是我却感到了一股寒意，因為自竊聽器中傳來的白老大的聲音，很是陰森，顯然在往事之中，很有點恩怨在。

崔三娘的回答，也很是針鋒相對：「若不是有了幾個好兄弟，事情是怎麼樣，也真難說得很！」

從崔三娘的口氣聽來，她那「好兄弟」三字，分明是反語，我心中更是好奇，因為聽起來，倒像是她和「二倌」之間的「好事」，是叫她的「好兄弟」破壞了的。她的「好兄弟」指什麼人而言？就是白老大，黃老四和花五？

我越聽他們的交談，越覺得往事之中，很有可供探索之處，而又聽得紅綾用不耐煩聲調問：「到了沒有？那小女孩的家，到了沒有？」

紅綾的話，叫人再明白也沒有——一行人等，是到「陳安安」家中去的，我不禁暗暗心驚，心想這一干人找上門去，陳先生和陳太太可有難了，現代人幾曾見過這等陣仗！

白老大隨即安慰：「快了，一到，就由你施展本領，把那小女孩帶出來——那小女孩的情形，我已對你說過了，不必對她太好！」

紅綾道：「是，我知道，那小女孩是一個鬼，一個又兇又猾的鬼！」

我更是吃驚，白老大竟然叫紅綾去做這樣的事，要是在行事之際，有了什麼失閃，雖然不會有什麼危險，可是也當真無趣之極了！

白老大說了之後，崔三娘悶哼一聲：「小丫子說得好，那老鬼，確是又兇又猾！」

從崔三娘的話中，聽出崔三娘和黃老四之間，也有過節，白老大冷笑：「三阿姐，我也一直以為老二突然不知所蹤，是叫老四暗中下手害了的，也曾深入查過，却查不出什麼來——」

崔三娘打斷了白老大的話頭：「老四又兇又猾，下手乾淨俐落，我們發現二倌突然不見，已有大半年沒有人見過他，有足够時間，消滅證據，神仙也查不出了！」

我聽得心驚，因為當年的事，竟包括了懷疑老四殺了老二在內，可知這五個人之間的恩怨糾纏，牽涉到的事，很是廣泛。

在這種緊張的氣氛之中，紅綾却一本正經地說了一句：「不，神仙什麼都會，叫神仙去查，一定查得出來！」

她的話，充滿了孩子氣，而且叫人也難以領會她心中的「神仙」的崇拜，所以並沒有人理會她的話。

白老大又悶哼一聲：「三阿姐，事情和你想的不一樣，也和我想的不一樣，我也是到今天，才知道了老二的一些事，那些事，連做了鬼的老四都未必知道。告訴我，何以當年你們竟未成好事——你何以堅拒他的殷勤？」

白老大的這幾句話，一入我耳中，我不禁訝異莫名：他說關於老二的事，他「到今天才知道」，那是什麼意思？他過去二十四小時之中，不是在我監視範圍之中，就是和我在一起，能有什麼遭遇，使他知道了多年來一直不知的老二的事？

我首先想到的是，有一段短時間，我離開了白老大和紅綾，沒有和他們在一起，那是從餐廳分頭回家的那一段時間。可是這段時間極短，不像是曾發生了什麼要緊事的樣子。

那麼，唯一的可能，就是他和我們的長時間談話之中，知道了那老二的事。

我和白素向白老大詳細敘述了一段往事，這段往事發生的年代，大約是在他們五人結義的幾年之後（十年之內），是不是在我的敘述之中，出現了那個老二？

一想到這一點，我不禁心頭劇跳。那些往事，全是祖天開告訴我的，難道祖天開是那個「老二」？

我立即否定了這個想法，因為白老大早已知道祖天開還在人間，若是昔年的結義兄弟，早就加以注意了。那麼，難道是王朝？

也不會是，因為提到王朝時，白老大說「沒聽說過」。是曹普照？不會，曹普照年紀大，續弦的時候，白老大甚至還不夠資格參與其盛。

那麼，只剩下一個人了！自稱從陰間來，行為怪異，行事目的不明，用催命環取了過百人性命的陰差！

一想到這一點，我不但心頭狂跳，連手心也在冒汗！若是白素在旁，我會緊握她的手，或是互相擁抱！

白老大與五人結義，其中的老二，就是陰差！

一想到了這一點，有很多疑點，已經可以迎刃而解。例如崔三娘的催命環是誰給的，當然是陰差給的。陰差和崔三娘，曾有十分親匿的關係，把那寶環相贈，也是很普通的事！

而何以竊盜之王，金取幫的高手，竟會看中一隻毫不起眼，只是沉重的盒子，也很容易明白——花五曾是金取幫的人物，陰差有那寶環的事，他很可能知道了，向幫中通風報信的。

（這一點，我只猜對了一半，真正的情形，很出人意表，後面自然有交待。）

而更重要的是，本來我以為是風馬牛不相干的幾樁事，竟是自然而然，聯在一起了！

十、陰間異寶能收魂

世事之奇，無過於此！

若是白老大和陰差竟是舊相識，那事情更是有趣得緊，我立即又想起了曹金福，他尋找仇人的目的，有了突破性的線索！

同時，我也不禁暗怪自己觀察力太差，雖然說那是再也想不到的事，但是白老大在聽我敍述時，多少應該有點異樣的反應，只是我沒有注意而已！

一時之間，各種念頭，紛至沓來，令我的思緒紊亂之極。我只聽得崔三娘在十分焦急地問：「你知道了什麼事？你怎麼會知道的？」

白老大道：「純是意外，等黃老四來了，先聽他的，再聽我的！」

崔三娘冷笑一聲：「你少賣關子，事情和我，已經關係不大，和你的外孫女兒，倒是很有關係！」

我一聽這話，又大吃一驚——事情當真是變化多端，複雜之至，怎麼又和紅綾扯上關係了？

紅綾立時問：「和我有什麼關係？」

崔三娘冷然：「我也等黃老四說了再說！」

白老大沉聲道：「孩子別急，我什麼都知道，會告訴你的！」

說話之間，車子已到了陳家屋子附近，在圍牆的一角，停了下來。我忙也找了一個隱蔽處停了車。

這次跟踪，收穫極大——事先，我再也想不到事情會有這樣的曲折！

只是前面的車子停下之後，車門打開，人影一閃，一個人已竄上了圍牆，在圍牆上身形一弓一彈，就越過了至少有五公尺的空間，一下子就撲上了建築物的二樓之外，這種凌空向上斜撲的身手，好得驚人。

我心中喝了一聲采，却聽得車中崔三娘和花五，也齊聲喝采，花五還說了一句：「三阿姐，你當年，只怕沒有那麼好身手！」

崔三娘回答得很是實在：「非但沒有，差之遠矣！」

這時，掠上屋子的紅綾（當然就是她），沿着外牆，斜揉身到了二樓的一個窗外，用手在窗上輕敲了幾下，窗子打開，「陳安安」探出了頭來。

黃老四當然是早在等候的，但是他多半也想不到帶他出屋子會是紅綾，所以呆了一呆。

不等黃老四發問，紅綾已出了手。

白老大曾吩咐過紅綾，對「陳安安」不必太客氣，因為她看來雖然是一個小女孩，但實際上，却是一個又狠又猾的老鬼。

可是，我還想不到，紅綾的「不客氣」，竟然到了這一地步——陳安安才一探頭，紅綾一手就抓住了她的頭髮，把她自窗口直拉了出來。

其時我已經運用了可以夜觀（紅外線設備）的望遠鏡，所以看得很是分明，看到「陳安安」的神情，又驚又怒，張大了口想叫，可是又不敢出聲——她若是一叫，驚醒了屋中的人，就不能和舊相識見面了，以她如今的處境而言，只好忍受。

我因此也想到，黃老四要和各人見面，對他來說，一定很重要，不然，他為何要忍受紅綾的粗魯對待。

紅綾當真是粗魯之至，如一下子將「陳安安」自窗中抓了出來之後，動作更是驚人，竟順手一揮，把「陳安安」整個人，向圍牆摔了出去！

這一下，連我也大吃了一驚，可是紅綾在摔出「陳安安」之後，身子一個倒翻，也向圍牆翻出，竟是在「陳安安」的前面，落腳在圍牆之上，一伸手，又已抓住了「陳安安」的頭髮，動作不但乾淨俐落，而且賞心悅目之至，至少在車中的崔三娘，就看得哈哈大笑了起來。崔三娘和黃老四，多半有點過節，所以才幸災樂禍的。

紅綾抓住了「陳安安」的頭髮，自圍牆上跳了下來。我看得很清楚，「陳安安」在一剎間，手脚並用，至少向紅綾發出了四下攻擊。

這四招，手法又快又狠，攻的全是紅綾的要害，我一時之間，由於關心太甚，有了錯覺，以為紅綾會吃大虧，幾乎忍不住要衝了出去！

當然，我立即想到，黃老四這時，只不過是一個六七歲的小女孩，手脚拍打在紅綾的身子上，不論他的招式多麼狠辣，也如同蜻蜓之撼石柱，必然不能傷害紅綾分毫。

可是我的心中，也不禁十分憤怒——黃老四雖無傷人之力，可是却有傷人之心，一樣不可饒恕，這老鬼，我早就知道他不是什麼好東西！

紅綾一落地，把黃老四塞進了車子中，她自己也進了車子。

只聽得黃老四一進了車子就怒叫：「老大，你……這欺人太甚了！」「陳安安」是童稚之聲，可是語氣之憤怒、陰森、怨毒，却又到了極處，產生了一種詭異莫名的效果。

（若干時日之後，我和幾個對靈魂很有研究的人説起這段經歷，我發表了一項意見：鬼上身之後，靈魂雖然能指揮這個身體行動、説話，可是也還受這個身體的限制。像黃老四，他要發力，就只能用陳安安的拳頭，陳安安沒有力，所以他是發不出力來。他要説話，就要通過陳安安的聲帶來發聲。陳安安的聲帶，只能發出童稚的嫩聲，所以他縱使怒發如狂，發出的還是小女孩子的聲音。）

（我的這項心得，說明了有些對鬼魂侵入人體的描述是不正確的，這些描述，往往說到被侵佔的身體發聲改變，女性發出男性的聲音等等——靈魂沒有聲帶，只好借人體出聲，所以才會有黃老四發怒也是童聲的情形出現。）

當下白老大「呵呵」笑着：「小孩子家，出手不知輕重，你可別計較！紅綾，叫黃四叔！」

紅綾「哈哈」一笑：「黃四叔！」

她叫是叫了，可是語氣之間，連半分敬意也沒有！

我看到「陳安安」夾在紅綾和崔三娘之間，她個子小，一下子站了起來，崔三娘一按她的頭，把她按得坐了下去。

崔三娘的動作，惹得紅綾又笑了起來，「陳安安」大怒：「你們這樣子對我，這就告辭，讓你們在世一日，都解不開心中的謎團！」

崔三娘冷笑道：「照你這樣說，死了做鬼，一切就可以真相大白了，我倒並不急！」

黃老四「哼」地一聲：「也說不準，像我那樣，一直在做糊塗鬼。要是什麼都明白，也不必找你們出來了！」

我聽到這裡，不單由於黃老四的語調陰惻惻地，聽了令人很不舒服，而且由於他所說的話，內容也令人感到不快——人的觀念，一直以為死了之後，一了百了，先前的一切問題，也都解決了，再也不會有什麼牽掛的事，不會有什麼疑惑的事。

可是，聽黃老四如此說，顯然不是那麼一回事——生前的感覺、痛苦、疑惑，解不開的謎，竟然一直延續了下來，並不因為由人變成了鬼而獲得解脫！

像黃老四那樣，他的處境，死不如生，他忍受看乖乖小女孩的生活，那對像他這種兇狠慣了的江湖人物來說，真不知是什麼樣的活受罪，可是他強忍着，就是為了想弄明白一些他生前不明白的事！

只怕他那麼容易和溫寶裕的腦活動能量接觸，進入陳安安的身子，也是為了他一直想再投人身，可以和舊相識見面之故！

想到這裡，我不由自主，長長地吁了一口氣，可是也並不能舒緩胸中的悶鬱。

只聽得白老大道：「好不容易又聚在一起了，別再說廢話了，我們有很多不明白的事，你也有很多不明白的事，就來一個了斷吧。」

「陳安安」重重一頓足，發出了「蓬」地一聲響：「還是老大痛快，我當小娘貨也當得夠了，寧願再去做孤魂野鬼，我不明白的是，陰老二第二次失踪，你們都懷疑是我做了手脚，我沒有做，不知他去了何處，我想知道，他究竟去了何處？」

黃老四的這番話，聽來很簡單，可是却聽得我心驚肉跳。首先，我第一次知道那老二，竟真是姓「陰」。姓陰的人不是太多，那麼，那老二就是陰差的可能性，又大大地增加了！

而這一番話之中，又透露了一些往事，這個陰老二，曾兩次失蹤，第一次失蹤的情形不知如何，第二次失蹤，黃老四被懷疑殺了人，他就是想知道陰老二去了何處——照我的設想，這是他的第一個謎團，若單是為了這一點，他不會如此「死不甘心」！

他這樣說了之後，一時之間，汽車中很靜。黃老四又道：「三阿姐，我們五人之中，你和陰老二的關係最好，要請教。」

崔三娘語音冰冷：「你少嘴裡不乾不淨，他第一次失蹤，去的地方，應該是你現在所在之處。」

崔三娘這句話一出口，我心中雪亮，那陰老二，果然就是那陰差——那在陰間之中，充當過陰間使者，卻又偷了陰間的「寶物」，逃回陽世來，行為怪誕之極，由於他的怪誕行為而衍生出了那麼多曲折離奇的事的陰差！

黃老四早已死了，死人的靈魂，應該到陰間去，所以崔三娘才會這樣說。

聽到這話的人之中，白老大因為才聽我說起過陰差的事，所以他並不吃驚。

可是花五卻立時發出了一下怪異的聲響。花五吃驚不意外，意外的是黃老四也吃驚，也發出了一下驚呼聲，立時道：「三阿姐，你開什麼玩笑？」

白老大接上了口：「不，她不是開玩笑，老二確然到陰間去了，他到陰間去，當陰間使者！」

白老大得知陰老二的去處，當然是我告訴他的——我猜想，我一向他提到那個陰差的外形時，他就知道那是什麼人了。

白老大的話，令得崔三娘怒罵了一句粗話：「原來他也對你說了，這王八蛋，還說只對我一個人講，只有我一個人才知道他的秘密。」

白老大悠然道：「那麼別冤枉他，他沒有對我說，我是最近才知道的。嗯，他第一次不見，時間是三個月——」

崔三娘低聲糾正：「九十七天。」

我心中悶哼了一聲——崔三娘把日子記得那麼清楚，自然是她和陰差之間的關係，非比尋常之故。

白老大和黃老四同時開口：「他回來之後——」

白老大只說了五個字就住了口，黃老四繼續問下去：「——只見過你一個人，他對你說了些什麼？」

崔三娘並沒有立時回答，但是汽車之中，也不是完全寂然無聲，竊聽儀器十分靈敏，我可以聽到，至少有兩個人的呼吸不是很正常，正在喘氣。

過了一個，才聽得崔三娘用裝出來的很是平靜的聲音道：「他說，他到陰間去了。」

「陳安安」的聲音很尖厲：「你就信了？」

崔三娘的回答很妙：「你現在已經是鬼，當然知道，有陰間這回事。」

黃老四被崔三娘的話，一下子堵得出不了聲。

崔三娘又自顧自道：「他還告訴我，陰間的冥主，准他自由來往陰間陽世，他更對我說起了他的一個……駭人的……計劃！」

我聽到這裡，心情也很是緊張，因為事情是如此離奇而不可測，多少年之前的隱秘，正在逐步揭露。許多驚心動魄的事情之所以發生，都和那些隱秘有關。

我在崔三娘那幾句聽來很簡單的話中，已經有了很多的設想。

崔三娘提到了「陰間冥主」，那是傳統的通俗說法，用我的說法，那就是「建立了陰間的外星力量」。而從陰老二得到的待遇來說，那種外星力量，對他很是友善，竟准他自由來往陰間陽世！

一個地球人，可以得到這樣的待遇，那足以證明那種外星力量的寬容，因為我知道，自由來往陽世陰間，突破空間的限制，必要依靠一具多功能的儀器的幫助，那儀器，先在曹普照手中，後來又成了爭奪的目標，落入祖天開和王朝之手，被他們稱之為「許願寶鏡」的那一件東西。

這「寶鏡」，我知道，已通過了從陰間來的大美人李宣宣的努力，又回歸陰間了！

那「寶鏡」會在陽世出現，自然是陰老二當年從陰間把它帶出來的。

那種外來力量，竟能容許陰老二把陰間重要的儀器帶到陽間來，不但可以說明他們對地球人友善，而且，也可以說明，他們對地球人不是很了解——別說陰老二這種江湖人物，就算是不欺暗室的道德夫子，在那樣的大誘惑之前，是不是能把持得住，不起貪念，也難說得很。

陰老二得到那種外來力量的信任，可是他顯然早已心懷鬼胎了！

我有了那些設想，很是興奮，因為許多不相干的事，都逐漸被一條線在串起來，漸漸地可以真相大白，作一個了斷了！

崔三娘接下來所說的話，證明我對陰老二「心懷叵測」的推論是對的。

崔三娘這樣說：「他的計劃……他對我說，陰間不可思議，連他也根本不知那是什麼，和傳說中的陰間，大不相同……這些話，他說了我也不明白。他說，陰間之中，寶物極多，有的威力之大，匪夷所思，若能得上一兩件，足以在陽世雄霸天下，他更偷一兩件出來，與我共享，他就用這話……誘我——」

崔三娘說到這裡，戛然而止。

我心中感到好笑，古今中外，浪蕩子弟，要討美女的歡心，令美女投懷送抱的方法，都是一樣的。陰老二想用共享陰間法寶的誘惑，來令崔三娘入彀，這種經過，崔三娘不必說下去，也人人都能知道。

只有紅綾，傻乎乎地問了一句：「他是騙你的？」

黃老四已尖聲道：「你也不是好吃的菓子，就那麼容易上當。」

崔三娘這次反應快：「看到了他從陰間帶出來的寶物，誰都不免心動。」

白老大像是不經意地問了一句：「你第一次看的寶物，是許願寶鏡，還是催命環？」

崔三娘發出了一下吃驚的聲音，過了一會才道：「是許願寶鏡，他一面向我說這寶鏡的神奇之處，一面又甜言蜜語，可是說着說着，一下子忘了形，就說出他生平最大的願望來了。」

一直不是很出聲的花五，這時忽然笑了一下：「二哥的生平大志，我們全知道，只有你不知。」

黃老四在這時，也發出幾下陰森的笑聲，示意花五所說屬實。

崔三娘很是惱怒：「為什麼你們全知我不知？」

花五道：「那是男人之間的話題，自不便在你面前說，二哥真是得意忘形了，才會說給你聽的。」

我聽到這裡，心中大是疑惑，陰老二的生平大志是什麼呢？

黃老四很快就解決了我的疑惑，他一面笑，一面道：「真是壯志凌雲，他立志要娶絕色美女為妻，三個五個不嫌多，十個八個不嫌少，若真有國色天香，一個也就甘心為她死，為她亡。」

「陳安安」的女童聲，說這幾句似歌非歌，似口訣非口訣的話，聽來令人極不舒服。可是說的人，卻說得順口之至，那顯然是黃老四聽慣了陰老二常這樣說，所以才背得出來。

花五悶哼了一聲：「陰二哥好色如命，這是天下皆知的事。三阿姐，當年二哥他對你獻殷勤，我們都替你揑一把汗，也曾切實敬告過他，可是總不好意思對你明說，幸好你沒上他的當！」

白老大則沉聲道：「大英雄大豪傑，儘有好色的，但貪色也要有道。老二雖然不致於下三濫到去採花，但是他勾引良家婦女，甜言蜜語騙女人，那和迷姦也相差無幾，給他看上的，千方百計要弄上手，很是不堪。」

在這三個人肆意批評陰老二的好色如命的不堪行為之中，我隱隱約約感到，在我心中的一個謎團，可以循這個方向去解決。

可是一時之間，我捕捉不到頭緒——我知道，許多事，都已經被線串起來了，只要我找到這個線頭，向上一提，所有的事，就會清清楚楚地掛在我的面前了。

這時，我聽不到崔三娘的反應，只是聽到她的呼吸聲越來越是沉重，反倒是紅綾大是感嘆：「怎麼你們說的話，我一句也聽不懂！」

白老大悶哼一聲：「不必懂，聽了就行。」

紅綾沒有再出聲——她雖然擁有電腦式的「資料」，但是要了解剛才那一番對話，確然不是易事。

過了一會，崔三娘道：「原來是這樣。你們該早告訴我……只是……唉，告不告訴我……都一樣……都一樣……都一樣……」

她連說了三聲「都一樣」，聲音一次比一次低。一聽就知道，她和陰老二之間，後來仍然發生了一些事。白老大、花五和黃老四，都沒有追問下去，那種男女之間的事，又過去了那麼多年，自然不必再問了。

崔三娘陡然提高了聲音：「那次他酒後吐真言，表示了他的志願，我自此有了提防，但是他……我看他却不知道，還是將我當作了他的獵物，還在甜言蜜語，但不論如何，他運用冥府異寶，却十分驚人，那寶鏡……真能叫人看到自身的將來，我身負血仇，你們都知道，但仇人行踪隱秘之極，本領又高，勢力又大，他算準了我能運用寶鏡的時間，使我在寶鏡之上，看到了所有仇人的樣貌，並且看到他們一個個死於非命的情景，使我知道，我大仇可以痛快地了斷。」

崔三娘一口氣說下來，語意之中，對陰老二，頗有感激之情，那是誰都聽得出的。

花五和黃四齊聲道：「他給你的那催命環，就是陰間的異寶。」

崔三娘道：「是，他給我的時候對我說，為了我能報仇，他特地冒險在陰間偷出來給我的，那環一祭出來，就能取人魂魄，致人於死。」

我聽到這裡，不禁閉上了眼睛，耳際一陣轟然作響——崔三娘的催命環，是陰老二給她的，那麼陰老二就是陰差，再無疑問了。

這時，在我思緒中激起來的疑問是：所謂「陰間異寶」究竟是什麼？

崔三娘也曾將之稱作「冥府異寶」，那是一樣的，陰間自然就是冥府，就是我曾去過，人類死亡之後，數以億計的靈魂的所在之處，以一個小亮點的形式存在着。

那環能收人魂魄，是「陰間異寶」，我立刻又有了假設——那種外來力量既然設置了「陰間」，把地球人的靈魂，盡可能集中起來，不管外來力量懷着什麼目的，他們必須有集中人類靈魂的工具。

那催命環就是外來力量集中人類靈魂的工具。它的功能，不但能集中孤魂野鬼，而且，能把人的靈魂，從活生生的人身中吸走。

這就是祖天開當年在曹家大宅看到陰差行兇的情形——催命環化為一團陰風，把人的魂魄拘走，人的生命，也為之喪失。

一想到了這一點，我不禁感到了一股極度的寒意，那種外來力量，竟然神通廣大到了這一地步。他們的一個工具，落在地球人的手中，尚且有這樣的威力，若是由他們來使用，豈不是要全人類都死亡，也是輕而易舉的事？

那外來力量豈不是太可怕了？

那是真正的死亡之神。

這死亡之神，在地球上已有多久了？

十一、如何安排身後事

我本來就極想知道有關「陰間」的一切一切，這時，想到了如此可怕的情形，更是急切想知道陰間的一切——全人類的生命，都在外來力量的控制之中，作為一個地球人，決計無法容忍這種情形的存在！

我感到事態極嚴重，事先，再也想不到在一些江湖人物的恩怨之中，會牽連出那麼嚴重的問題來！

在我耳際嗡嗡咋響時，車中的人，除了紅綾之外，顯然也處於極度的震駭之中，所以有好一會沒人出聲，還是崔三娘首先打破沉寂：「他沒騙我，當時他就說，這環在他手中，只能使用七次，不像在冥主手中，可以隨心所欲地使用，他自己已用了兩次，還剩五次，足夠我報仇雪恨的了。」

她說到這裡，長嘆了一口氣：「果然我不但報了仇，還贏得了人人聞之喪胆的外號：催命三娘！」

黃老四冷笑：「老二向來不會白便宜人，三阿姐，你讓他……」

黃四的話還沒有說完，白老大已厲聲喝：「那是他們兩人之間你情我願的事，與你無關，你只說和你有關的事情好了！」

黃四雖然是鬼，可是對白老大也相當忌憚，他沒有再說下去，悶哼了一聲：「老二第一次失蹤之後出現，他可沒告訴我們，他有了這樣的奇遇！」

他們五人是結義兄弟，在對天發誓之際，必然有「有福同享，有禍同當」之類的誓言，所以黃四以這標準責備陰老二，也無不可。

崔二娘却為陰老二辯護：「人不為己，天誅地滅，他留些私心，也是人之常情！」

白老大沒有出聲（他是不是在神情上有反應，我不得而知），花五則發出了一下冷笑聲，顯然不同意崔三娘的說法。

黃四接下來的話更直接：「他能自由來去陰間，而且，陰間的異寶，他可以隨意取攜，哼，他得了這樣的好處，除了到處去找絕色美女，花言巧語騙了三姐你——」

崔三娘當聲叫：「他沒有騙我！」

白老大再一次阻止黃四：「老四，再要提這種無趣的事，我可也要不念舊情了！」

我聽到這裡，心中雪亮：崔三娘必然是在心切報仇，求得異寶催命環的情形下，讓陰老二佔了大大的便宜，付出了對女性來說，極其高昂的代價。

黃老四一再提及這種情形，目的可能是想引發起崔三娘對陰老二的恨意。可是女性的心理很是難以捉摸，更不是一生在刀頭上舐血的粗漢黃老四所能明白——崔三娘對當年付出代價，才得到了催命環一事，似乎並不後悔，也並不因之而恨陰老二，反倒在感情上，遠黃四而近陰二。

黃四悶哼了一聲：「他不詳細說也算了，有一次，和我在堂子裡，喝醉了酒，卻露了一點口風給我聽，聽得我心癢難熬，可是在酒醒之後，不論如何向他追問，他都不肯再露半點風聲，這就不該了。」

他在責備陰二，可是他的話才一出口，花五就怪聲叫了起來：「好哇！原來你早知二哥有過奇遇，可你却也未曾對我提起過。」

白老大用極不屑的口氣斥：「都不是東西！」

他這一罵，連崔三娘也罵在內了，因為五人之中，只有他和花五，是什麼也不知道的，黃四在知道了一點消息之後，也奇貨可居，引以為秘——由此也可知這所謂「結義」，兒戲得很，那使我對他們都有了輕視之心，白老大後來，少提及這段經歷，自然也是看穿了那些人的真正面目之故。

這時，紅綾忽然問了一句：「在『堂子裡』，那是在什麼地方？」

汽車中沒有人回答她，若是我在，我一定給她很實在的回答：「堂子，就是妓院。」

或許她再會追問下去：「妓院是什麼？」那我也會解釋給她聽——那是地球人生活內容的一部分，沒有理由對她忌諱不說。

紅綾得不到回答，也沒有再問下去。黃四「嗖」地吸了一口氣：「他第二次失蹤，自然又是到陰間去了，這一次，他離開了多久？有些人以為是我暗害了他，三阿姐你應該最知道內情了，何以不替我分說分說？」

黃四問得咄咄迫人，崔三娘暫不回答，我在那時，想到的却是黃四剛才所說的一些話，他說陰老二拿了陰間的異寶，花言巧語引誘美麗女人，又說陰老二在堂子裡喝酒，可知這陰老二真是好色如命，我隱隱感到他的這種性格，一定影響他的行為。

從這一點出發，我像是又朦朧地捉摸到了一些什麼，可是仍沒有具體的設想。

崔三娘亦沒有回答黃四的第二個問題，旦是喃喃地道：「他第二次，離開了六個半月。」

黃老四冷笑：「不過，他再到陽世，好像不是立刻就和日盼夜望他出現的人會面。」

黃四沒有指名道姓，可是話中的譏諷之意，却是人人都可以聽得出，也沒有人搭腔。

黃四再道：「很奇怪，他不知從哪裡冒出來之後，不到浙江來見老朋友，却到了湖北——三阿姐，自你得了催命環之後，那環取人性命於眨眼之間，這種情形，和湖北的武林大豪曹普照全家百餘口突然死亡的情形很是相似，所以兄弟我就作了一番調查，這才知道了老二的行踪。」

崔三娘的聲音，已大是惱怒：「你這番找我們出來，究意是為了什麼，快些有屁請放，有話請說，轉彎抹角，老說舊事幹什麼？」

黃四嘿嘿冷笑：「話舊，話舊，舊相識聚在一起，總得先說往事，什麼事，弄明白了來龍去脈，這才有趣，是不是？」

崔三娘連聲冷笑，沒有再說什麼。

黃四又道：「陰老二確然曾在湖北出現，而且，曾兩度去見曹普照，曹普照遇害當日，也有人在附近見過他出現，和另一個叫祖天開的人在一起——」

我聽到這裡，不禁深吸了一口氣，常言道：若要人不知，除非己莫為。當真一點也不差。那麼多年前的事了，仍然難免被人知道。

崔三娘冷冷地道：「那和我們更沒有關係了，你要是再這樣囉唣不已，我可要失陪了。」

白老大對陰老二自稱「陰差」，在湖北的活動，在我處知之甚詳，所以他也有點不耐煩：「快點說你想見我們是為了什麼。」

黃老四沉默了片刻，呼吸聲急促：「我們要合力把陰老二找出來。」

他先是兜來兜去不說，忽然又石破天驚，說出了要行動的目標，連我都不禁呆了一呆——他要把陰老二找出來，又有什麼目的呢？

他要找陰老二，若是白老大他們幫着他找，那對身負血海深仇，以報仇為人生唯一目標的曹金福來說，倒是大大的好事。

因為有這幾個人的努力，把陰老二找出來的可能性，總比曹金福一人努力的好，而且，祖天開若是知道了，也必然全力以赴。

只要陰老二還沒有死，總可以把他找出來的——就算他已經死了，也可以把他的鬼魂找出來，黃老四不是死了的嗎？還不是一樣在和老相識敍舊。

花五先問：「你要找陰老二作什麼？」

崔三娘也道：「你已經是鬼魂了，還找他幹什麼？難道想在陰曹地府，搭個一官半職？」

白老大最後發言：「連他在陽世，還是在陰間都不知道，怎麼找他？」

黃四的話，出人意表，他語氣堅定：「我在陰間找，你們在陽世尋，上窮碧落下黃泉，說什麼也要把他找出來！」

一聽得黃四怎樣說，我心中陡然升起了一個疑問——這是一種很奇妙的感覺，我已有了疑問，可是一時之間，還未能把這個疑問具體化。

白老大果然機敏異常，他卻已把我心中的疑問，問了出來：「你是鬼魂，便能自由來去陰間了嗎？若是如此，億萬鬼魂，怎肯長在陰間？」

崔三娘也陰森森地道：「奇怪得很，何以別的鬼魂，要聚集在陰間，你却可以例外，當孤魂野鬼，還可以自由上身，在陽世為祟？」

崔三娘這個人，為人如何，不去管它，她很有胆色，殆無疑問，竟敢這樣責問一個鬼魂，其胆量可想而知！

黃老四沉聲道：「這其間另有道理，在陽世遊蕩的鬼魂，無千無萬，豈止我一個。」

崔三娘迫問了一句：「什麼道理？」

「陳安安」陡然提高了聲言：「你是人，不是鬼，對你說了你也不明白！」

崔三娘却堅持：「說了不明白是我的事，說不說，是你的事。」

這時，我也很是緊張——我對靈魂學有濃厚的興趣，那是由來已久的事了。我和世界各地的靈魂專家都有聯繫，交流和靈魂溝通的心得。我和世界上最出色的靈媒，有過一起和靈魂溝通的經驗，早已肯定了靈魂的存在。

可是，像如今的情形那樣，靈魂如此實在地在一個小女孩的身上，這種例子，還是未曾經歷過。

人世間，許多人都努力在想探索陰間的奧秘（包括我在內），可是所知少之又少，我算是到陰間去過的，仍然幾乎一無所知。

看來，人想了解陰間，難之又難（王大同、李宣宣都這樣表示過），那麼，最理想的，自然就是由鬼來說陰間的情形了。

黃老四就是這樣一個突出的鬼，可以通過他，來探索陰間的奧秘！這個小女孩「陳安安」，簡直是靈魂學研究上的無價之寶，我完全可以想像，在倫敦的普索利爵士，如果知道了有這樣實實在在，活生生的一個鬼在，會如何興奮，那是劃時代的發現！

我在胡思亂想，希望黃四快點多說些陰間的事時，汽車內先是沒有聲音，但忽然有人發言，出乎意料之外，竟然是紅綾的聲音。

那當然是紅綾的聲音，我再熟悉不過。可是，我却又同時覺得陌生，因為她說話的語氣，充滿了自信，而且，聽來很是成熟，和她平日縱笑無忌，不斷問問題時的情形，大不相同——那使我很是欣慰，因為始終於自然而然，顯露了她充滿智慧的一面。

紅綾一開口就道：「他不是不肯說，而是他自己都不明白。『陰間』這種現象，人確然難以明白，因為那是人死了之後，靈魂聚集之所，是生命的最大奧秘。事實上，陰間不只一個，所以更引起混亂，令多少年來，人類一直各憑自己的想像在渲染。」

這一番開場白，出自紅綾之口，當真把我聽得目定口呆。我相信汽車中的所有人，一定也意外之至，絕想不到剛才縱躍如飛，動作粗魯的小女孩，會有那樣胸有成竹的一番話。

黃四首先不服：「我是鬼，反倒不知道什麼是陰間，你這小娘貨倒知道。」

白老大和崔三娘異口同聲地喝：「聽她說！」

黃四沒有再說什麼，紅綾續繼說，居然一開始就提到了我，若不是我身在車中，又正在偷聽他人說話，我真要大叫着跳起來，以表示我心中的高興。

紅綾說的是：「我爸已經對『陰間』作了一個假設，他的假設是，那是一股外來力量建立的空間，運用了他們的力量，聚集了許多地球人的靈魂，目的不明。他的假設是可以成立的。」

聽得紅綾這樣說，我才知道「心花怒放」這個形容詞的形容的意境。

黃四這次沒有異議，只是發出了一下悶哼聲。

紅綾又道：「其實，『陰間』不止一個，也就是說，許多外來力量，都對地球人靈魂有興趣，他們都建立了靈魂的聚集所，向人類的靈魂招手，希望人類的靈魂歸向他們的建立的空間。」

聽到這裡，我心中已忍不住連珠價喝起采來——後來我轉述給白素聽，白素也在聽到這裡時，連連叫好。

紅綾所說的，雖然還不夠具體，但是主要的意思，已經很明白了。

這時，聽得花五問：「你能不能說得實在一點？」

花五看來年紀不大，但是那是他經過整容的結果，他屬於老式人，所以講的話也老式，換成比較現代一點的語言，就是：「請你說得具體一點。」

我有點代紅綾擔心，怕她難以說得具體。可是接下來，她侃侃而談，比我想像的還要精彩，她自成了「仙」的外婆處得來的知識，她已能熟練地運用了。

紅綾說的是：「好，舉例來說，把陰間當成十八層地獄，有十殿閻王，那是從佛教故事化出來的，那是陰間的一種。再一種靈魂的歸宿處，是上帝的懷抱或地獄，那又是另一種力量對靈魂的聚集。那些，都和宗教有關，而宗教和外來力量有密切的關係，每一種宗教，也都有各自對地球人靈魂的安排。如果說，靈魂的歸宿處，可以稱為陰間，那麼，就有許多陰間。」

紅綾的話一住口，我就聽到了鼓掌聲，那掌聲鏗鏘，聽來震耳，可以料想是白老大所發。

紅綾吸了一口氣：「各種外來力量建立了陰間，聚集人類靈魂的方法，各有不同，但極少有強迫靈魂非到他所設立的陰間中去不可的例子。我媽媽的媽媽，和許多苗族的烈火女，都成了仙，也都是自願的。黃四先生的靈魂，不願到陰間去，他也可以自由在陽世作祟——你雖然是鬼，可是對陰間的所知，一定不如我，我所說的那種情形，你就想不到，是不是？」

她最後幾句話，是針對黃老四而說的，說得黃老四啞口無言。

過了一會，黃四才道：「你說得精彩，可是對我們在商量的事，一點作用也沒有。」

紅綾笑了起來：「你們在商量的是什麼事，我根本一點也不懂，可是剛才我聽你說，你要到陰間去找老二，不知你要到哪一個陰間去找，陰間既然是外來力量建成的，自然有主理的力量，只怕也不會容你亂闖！」

黃四再次說不出話來，白老大又鼓了幾下掌，問：「老四，你勞師動眾，把我們全找了出來，自然是想大家合辦法找陰老二，可是，找陰老二，又有什麼目的？」

黃四深深吸了一口氣：「當孤魂野鬼，無趣得很。而進入人身，偏偏又成了一個小女孩，苦不堪言，生不如死——」

他說到這裡，頓了一頓，忽然又改了口：「我想，你們雖然還在生，可是也是風燭殘年，行將就木的了……」

他的這兩句話，可以說犯了天下所有老年人的大忌，是以白老大，花五、崔三娘，都不約而同，發出了一下悶哼聲來。

黃四却陰陰地冷笑了一下：「將來百年之後，我看你們也不會心甘情願，找一個陰間去作歸宿，我輩全是桀傲不馴的野人，我是前魂之鑒，鬧得像我這樣，陰魂不散，人不人，鬼不鬼，可是無趣得緊了——又不比做人，還能等到死的一天，這魂，怎能令之消散？」

黃四的這一番話，聽得人遍體生寒，連我也不禁打了一個寒戰！

他說得對，我們這種性格的人，死了之後，靈魂未必願意去找一個陰間作歸宿，那麼，該怎麼辦呢？黃老四的情形，確然可以說是「前魂可鑒」了！

當日，我分析假設陰間的情形時，陳長青、小郭等都在，連他們也認為是靈魂在強迫的情形下，非向陰間集中不可，那是很可怕的情形，陳長青甚至宣稱說，他要爭取靈魂自由。

如今的情形，即使沒有強迫性，也不會情願成為陰間的一個小亮點，那麼，應該怎麼辦呢？

連我都感到這個問題嚴重之極，那三個老人，自然更有切身的體會。其中，白老大的性子最灑脫，也最不服氣，他打了一個「哈哈」：「看得準些，投進一個壯年或青年之身，就可以再世為人。」

黃四立即笑了起來，他「嘻嘻」、「哈哈」、「格格」、「呵呵」笑之不已，像是白老大的話，是天下最有趣的笑話。

白老大沉聲道：「若我說得不對，還請你這個老鬼，多多指教。」

黃四忽然止住了笑，而立時發出了一下哀傷之至的長嘆聲來，轉變之奇特，令人感到極度詭異，他道：「老大，你學問好，博覽群書，可是自古以來，有關鬼魂的書，全是人寫的，所以也全是想當然的胡說八道，你上了這些書的當了，以為鬼魂可以任意尋覓人身？像我這種情形，已是千載難逢的良機，一遇上，要當機立斷，哪裡還顧得去想那人身是老是嫩，是男是女，一闖而入，可以再度為人，再想離開這個軀殼，可非我這個老鬼的力量所能及的了！」

說到後來，在「陳安安」的童稚口音之中所透出來的那股蒼涼無盡之意，令人心寒。

這時，我已經知道黃四要把陰二找出來的原因了。

果然，在長嘆聲中，黃四再道：「我想，要改變這種情形，只有向陰老二求助——他曾到過陰間，又有陰間的異寶，也和陰間的主人接觸過，一定能知道如何使我們的靈魂有很好的處境。」

各人仍然不出聲，黃四一字一頓：「說真的，這不是我一個的事，和大家都有關係。陰間的異寶多，據我所知，那催命環外，有一隻盒子，看來是放置催命環之用，但實際上，也是一樣異寶。」

黃四這句話一出口，各人（除了紅綾之外），都有相當強烈的反應，連我也不由自主，「啊」地一聲。

崔三娘的反應最強烈：「胡說，他怎麼沒向我說過。」

白老大則悶哼了一聲——他剛在我處，得知有這樣的一隻盒子，本來穩穩是我的，可是却給金取幫的一個乾瘦老頭偷了去。

這兩個人有適當的反應，我很容易理解。使我一時之間，難以明白的是，花五在聽了之後，發出了一不如同抽噎的聲音——一般來說，只有在出乎意外的吃驚時，才會有這樣的聲音。

老五為什麼一聽到了還有一件陰間異寶，就有那樣吃驚的反應？

我一時之間，沒有答案，只聽得黃四冷笑道：「他沒告訴你的事多着呢。」

崔三娘怒：「全告訴了你？」

黃四道：「沒有一個人會把自己的一切全都告訴另一個人，但是，我們五人結義，老大是頂天立地的好漢，不沉迷女色，三阿姐是女流，花五當花旦久了，有點不男不女，只有我和老二，是真男人，我雖不如老二那樣好色如命，但是他也就自然而然，和我最談得來！」

黃老四這番話大是合情理——好色的男人，在獵艷有成之後，總喜歡口沫橫飛，在他人面前炫耀一番，陰老二的最佳渲染對象，自然是黃四了！

而在淫褻下流的對話之中，人和人之間的距離容易拉得近，也就可以到無所不談的程度。

白老大「嗯」地一聲：「那應該是他第二次去陰間又回來的事了？」

黃四道：「是，他從陰間來，這次，據我所知，他一共帶了三件陰間異寶，是否還有別的瞞住了沒對我說，我就不知道了。」

十二、卑鄙下流的陰謀

如果我可以插言，我一定會問：「你遇到陰老二時，是在他到湖北之前，還是之後？」

我正在想着這個問題，白老大已代我問了出來。黃四道：「是在他去湖北之前，嘿嘿，他到湖北去，嘿嘿……」

他怪裡怪氣連連冷笑，但是話却沒有說完全，又收了口：「我和他又是在堂子裡相會的，在杭州，那堂子裡有一個粉頭，艷美絕倫，我見到他的時候，他正在和一個濶客爭那粉頭，是人家先到，他非要強佔——」

崔三娘聽道：「這種髒事，少說點吧，你不怕污了口，我還怕髒了耳朵。」

黃四怒道：「少打岔，老二憑着他做過大官，仗勢欺人，硬把人家擠走了。那人臨走時，說了一番狠話——」

自老大也不耐煩了：「長話短說。」

我也大有同感，因為這種在妓院中爭風吃醋的事，無聊之至，有什麼好聽的。

黃四聽了白老大的呼喝，不能再就這件事說什麼了。

當時，我只覺得很痛快，不必聽黃四說無關緊要的話。後來，才知道白老大打斷了黃四的話頭，沒讓黃四說下去的話，不但不是「無關緊要」，而是關係重大之極！

日後，又費了許多曲折，才知道了那一番話的內容，這才使整件事的關鍵之謎，迎刃而解——這是當時無論如何想不到的事！那可以說是世事難料的一個典型例子。

黃四悶哼了一聲：「那粉頭確然艷光四射，兼且哆勁十足，嘖嘖，陰老二幾杯酒下肚，酒不醉人人自醉，色不迷人人自迷，還有什麼可說的。」

這時，連花五也忍不住了：「他究竟說了些什麼啊？」

黃四用陳安安的小女孩聲音，敍述着風月場中的事，聽來很是怪異，可是接下來他所說的，由於內容吸引，也就叫人顧不得那是大人的聲音還是女孩的聲音了。

他道：「陰老二就把他從陰間帶來的寶物取了出來，說那是三件寶物，一件看來像是一面銅鏡——」

白老大插了一句口：「是，那玩意後來被稱為許願寶鏡，很是神奇！」

黃四很是吃驚：「老大，你……知道？」

白老大只是「哼」了一聲，不置可否。花五忽然用很是緊張的聲音問：「老大，你……知道多少？」

白老大又是「哼」地一聲，聲音之中，大具威嚴：「我什麼都知道！」

一聽得白老大那樣說，我就好笑。因為白老大所知的，全是我告訴他的那些，資料不多，謎團累累，他說「全知道」，自然是他充大頭，用嶺南粵語來形容，叫作「拋浪頭」，以顯自己之能。

在我覺得好笑時，聽得花五又發出了一下如同抽噎也似的聲響——我已是第二次聽得他發出這種由於吃驚而發出來的聲響了。

第一次聽到的時候，我就心中起疑，這一次，更是大為疑惑。

白老大說他「什麼都知道」，花五為什麼要因為吃驚而害怕。唯一的答案是，他有不可告人的虧心事，以為白老大真的知道了！

我正得出這樣的推斷，已聽得花五乾笑了兩下，尷尷尬尬地道：「怎麼會，你怎麼會什麼都知道？」

他這兩句話一出口，更可以肯定我的推斷是正確的了，那是心虛之至的說法，標準的「此地無銀三百両」，欲蓋彌彰。

白老大當然也覺察到了，有一陣子沒有聲音，才聽得花五的聲音緊張：「老大，你別這樣望着我，你的眼光……好嚇人！」

白老大道：「為人不作虧心事，半夜敲門不吃驚，有什麼嚇人的。」

崔三娘催道：「一件是寶鏡，另外兩件是什麼？」

這一打岔，白老大也沒有再迫花五了。

黃四道：「一件，就是後來給了你的那催命環。」

紅綾想是揚起了她掛在頸間的那環：「就是這個。」

崔三娘忽然嘆了一口氣——那自然是她又想起了往事之故。

黃四又道：「第三件，就是放那環的盒子！」

崔三娘反駁：「一隻盒子，怎能算是寶物？」

我這時，心中也這樣想，而且，很留心黃四的回答，因為那盒子現在雖然不知所蹤，但是它曾經屬於我，是我一時大意，才將它失去了的。

黃四應聲道：「是啊，當時我也這樣問老二，他先笑了一陣，才說道：『一盒一環，全是陰間異寶。環能收人魂，魄到陰間，盒卻能——』他只說到這裡，那粉頭倒在他懷中撒嬌，要和他喝個『皮杯』，他就沒有說下去了，第二天我酒醒，他已經離開了，這以後，我再也沒有見過他，他把催命環給了三阿姐，我是事後才知道的。」

他一口氣說下來，其間有紅綾的一下聲響，我知道那是因為又有了她聽不懂的話之故，她不懂的，必然是「皮杯」——那是男女調情時口對口哺酒，她當然不明白。不過她並沒有問出來，想來是白老大向她作了手勢，叫她不要發問之故。

車子中又靜了一會，在那短暫的寂靜中，我在飛快地轉着念，首先，我想到的是陰老二的行踪，他離開了杭州，看來就是到湖北去了——他在湖北，先把那許願寶鏡交給了曹普照，後來又在黃鶴樓頭遇見了祖天開和王朝，三個人再赴曹家大宅，釀成了曹家上下百餘人死去的慘禍。

陰老二為什麼匆匆離開杭州去找曹普照呢？簡直一點來由也沒有。按說，他好色如命，在杭州的那個「粉頭」，又確然艷麗非凡，他至少該留連幾日才是。

莫非是他酒醒之後，覺得對黃四透露了太多秘密，所以才急急避開的？但是那也無法解釋他日後一連串的怪異行為。

陰老二做那些事，一定有目的，可是那目的是什麼？祖天開想了六十年，沒有想出來，我也斷斷續續，想了好幾年，也沒有想出來。

我這時，自然一樣也想不出，所以我立刻轉了思緒，自己問自己：「那盒子有什麼用呢？」

那時，黃四也問了這個問題：「我把陰老二的話，記得很真，一字不漏，我一直在想，那盒子若是寶物，功用是什麼？」

白老大沉聲道：「你再把老二的話說一遍！」

黃四放沉了聲，也學着酒後舌頭有些大，語調得意洋洋，放慢了來說：「環能收人魂魄到陰間，盒却能──」

花五怪聲道：「聽起來，盒的功用，和環相反。」

崔三娘道：「那算什麼，那盒子，能把人的魂魄，自陰間放回來？」

黃四提高了聲音：「這正是我所想的，盒的作用，和環相反，環能令人死，盒能令人生。」

靜了一會，三個人一起問：「老大，你看呢？」

白老大道：「很有道理。」

黃四的聲音變得很是興奮：「環能把人變鬼，盒能把鬼變人，那才是真正的寶物！有了後，我可以不必再做鬼，你們也可以愛做人多久就多久。」

白老大冷笑：「那只是你的一廂情願。」

黃四堅持：「只要找到陰老二，對我們仍然大有幫助，這是可以確定的事！」

白老大沉吟道：「雖然那盒已不在陰老二手中，但功用只有老二知道，確然該把他找出來！」

黃四吃了一驚：「怎麼盒子不在老二處了？」

白老大便把亞洲之鷹如何托人把一隻怪盒子交給我，又被金取幫的一個乾瘦老者偷了去的經過，說了出來。

黃四和崔三娘一起叫：「去找亞洲之鷹，他一定曾見過老二。」

白老大比較鎮定：「至少鷹知道那盒子怎麼來的——不過這個人也不好找。」

黃四提出：「令婿衞斯理，好像和他有點交情。」

一聽得黃四那麼說，我就叫苦不迭——這老鬼，我第一次見他，就知道他不是什麼好東西，他這句話，可能會害我東奔西走一年半載而沒有結果。亞洲之鷹羅開，是一個異人，行踪無定，如神龍見首，我總是只在很偶然的情形之下，見過他一次，連話也未曾說過，要是白老大一聲令下，我上哪兒找他去。

白走大沉吟了一下：「好，對他說說看，有名有姓，要找，總找得到的。」

他說了之後，略頓了一頓，又道：「找羅開固然重要，把那盒子找回來，更加要緊。老五，盒子肯定是被金取幫的人偷走的，你要負責。」

花五道：「我……我……」

崔三娘怒道：「別推搪了，你本來就是金取幫的人，這事自然落在你的身上。」

花五這才勉強答應了一聲，過了幾秒鐘，他想是覺察到自己的態度不對，所以又補充了一句：「我會盡力。」

我一直感到花五的態度很可疑，他一定有些事在瞞着人，正在竭力掩飾，而且他掩飾的伎倆並不高明——白老大一定也早已覺察了。

黃四鬆了一口氣：「舊相識見面，還是有用，今晚就理出一個頭緒來了，如果順利，幾位身後大事，都靠今晚的聚會了。」

崔三娘悶哼了一聲，白老大嘆了一下，黃四又道：「我現在處境很是尷尬，連一步路都有人跟着，我們要聯絡，還是和今晚一樣。」

紅綾首先響應：「好！」

黃四大是惱怒：「可不能再扯我的頭髮。」

紅綾的聲音很誠懇：「對不起，我以為你不會感到痛楚的。」

黃四聽了，長嘆一聲，大是淒苦，可見他如今變作了小女孩的處境，很是可憐。

汽車中又靜了一會，黃四又道：「老五，我會時時和你聯絡。」

崔三娘冷冷地道：「打個電話總可以吧，何必要轉彎抹角。」

黃四又沉默了片刻，才道：「是！」

不一會，車門打開，紅綾抱着「陳安安」出來，身形拔起，已到了圍牆，把「陳安安」自窗中塞了進去，再一個後翻，超過了圍牆，落到了車旁。

看到這裡，我知道他們的聚會完了，為了避免被發現，我先駕車離開——今晚的收穫之豐，遠超乎我的想像之外，實在令人高興。

一回到家中，白素一瞧我的神情，就道：「大有所獲。他們在商量什麼？」

我想簡單一些，搶着告訴白素，可是事情實在太複雜，不是一下子說得完的，所以我張大了口，一時之間，竟然沒有聲音發出來。

白素笑：「慢慢說，我們的女兒怎麼樣？」

我想起了紅綾分析理解陰間的那一番話，立時感到心頭發熱：「太出色了，她太出色了！」

說了之後，我略頓了一頓，才又道：「可惜她不知道什麼是『堂子』，多半也不懂『粉頭』是什麼意思。」

白素皺眉：「怎麼說起這些來了？」

我感到好笑：「全是江湖草莽，連令尊在內，說說這些，有什麼稀奇？」

於是，我就開始敍述我聽到的一切，說不多久，就被白素伸手按住了口——她的感覺真是敏鋭，一面在仔細聽我的敍述，一面仍能留意周遭的細微動靜。

她才伸手按住了我的口，就看到房門慢慢被推開，紅綾像她偷出去時一樣，探頭進來看我們。

她總算知道一回來就先來看我們，我們自然裝睡，她看了一下，立時退了回去。

白素問我：「明天，她會不會對我們說？」

我笑：「一定會，要她忍住不說，只怕會把她難過死，她豈是藏得住話的人。」

我料得不錯，知女莫若父，第二天一早，紅綾就一直在找機會想和我們說話，我和白素商量好了，故意逗她，裝着很忙，不肯聽她說話。

不到一小時，她就忍不住了，大吼一聲，全屋為之震動，接着就大聲道：「昨晚，我和媽媽的爸爸一起偷出去了，遭遇奇絕，怪不可言——」

她話還沒有說完，白老大的聲音已自樓上傳了下來：「傻瓜，還要你說！你爹娘早就知道了，我們所做的每一件事，每一句話，你爹娘都知道，早已合計了整夜了，還等你來說？」

隨着語聲，白老大自樓上，精神奕奕地走了下來。果然薑是老的辣，我和白素一起鼓掌。

紅綾也明白了，「啊」地一聲：「爸在跟我們。」

白老大向我們望來：「你們討論下來，有什麼結論？」

昨晚，我化了近一個小時，才把事情說完，也確然曾討論過。

我先回答：「黃四的想法有理，那盒子對揭開生命的奧秘，可能有很大作用，他把改善環境的希望寄托在那盒子上，很有道理。還有，紅綾對『陰間』的分析，中肯之至，可以成立。」

紅綾聽得我盛讚她，高興之至，手舞足蹈。白老大也由衷地道：「的確，經過她媽媽的媽媽替她開竅之後，她確然非同凡響。」

白老大把紅綾的腦部接受了外星人輸入的許多資料一事，用「開竅」這個詞來形容，倒也很是貼切。

而且，在白老大的口中，居然也出現了「媽媽的媽媽」這種不倫不類的稱呼，可知他對往事，也不是那麼執着和介懷了。

他高舉雙手，伸了一個懶腰：「昨天，我聽你說許願寶鏡和催命環的事，一提到那個自稱陰差的人，就知道那是陰老二，又想到晚上和黃四有約，可以得到陰二更多的消息，所以即時不動聲色，現在，你知道的和我一樣多，我也不必重述了。」

我道：「是，可是我心中，有兩大疑團。」

白老大應聲道：「第一個是：陰老二是怎麼和陰間搭上關係的，他憑什麼和陰間主人有了聯繫，以及那個陰間的主人，究竟是一種什麼力量，聚集人類的靈魂，目的可是為了什麼？」

白老大說出了我心中的疑團，我連連點頭。白老大搖頭：「我不知道，不能幫助你。你的第二個疑團是——」

我把第二個疑團提了出來：「陰老二到湖北去，生出那麼多事來，不知為了什麼？」

白老大一個勁搖頭，顯然他也不明所以，白素向紅綾望了一眼，欲言又止。

紅綾立時大聲說：「我已是大人了，什麼都懂，連什麼叫『粉頭』都懂，沒有什麼話不能聽的。」

白素剛才，明顯地略有顧忌，一聽得紅綾這樣講，她笑了一下，握住了紅綾的手：「是，你不再是孩子了——陰老二到湖北去，先去見曹普照，把那許願神鏡給了曹普照，我料他的用意，卑鄙之至，他是要藉寶鏡的吸引力，接近曹普照——說什麼要曹普照帶着寶鏡送回陰間去，那藉口拙劣之極！」

我和白老大異口同聲：「他想接近曹普照，又有什麼目的呢？」

當我問出個這個問題時，我心中陡然一動，幾次朦朧想起，但又說不出具體的事情來的那種感覺，一下子明朗化——我也想到陰老二的目的了！

而白素在這時，已講了出來：「陰老二的目的，是想見到曹夫人，曹普照的續絃妻子，那個絕色美人，看看是不是有機會勾引上手，甚至強佔。」

白素一說明，白老大也明白了，剎那之間，他神情暴怒，大喝一聲：「太無恥了，真是可惜，白某大好男兒，竟曾和這等下流畜性稱兄道弟。」

陰老二好色如命，見了美貌的女人，千方百計要勾引上手，曹普照的續弦妻子美艷如仙，衆口一詞，使他聞而動心，這才找上門去。

他第一次見曹普照，可能根本沒有見到曹夫人，他倒真有放長線釣大魚的耐心，放下了許願寶鏡離去。他明知那寶鏡吸引人，他隨時可以回去。

而他在黃鶴樓上，見到了祖天開和王朝，一看到兩人，他就覺得可以利用，再知道了祖天開和曹普照竟然是結義兄弟之後，更是順手推舟，已經有了完善的對付曹普照的陰謀詭計。

那時，聽説曹普照不知道會閉門家中坐，禍從天上來，連祖天開也不知究裡，甚至王朝，只怕也不明白陰差的真正目的。

在曹家大宅發生的事，祖天開被利用，王朝也被利用，祖天開雖然只好男色，不好女色，不知道曹夫人竟美到了何等驚心動魄的程度，但是他在敍述之中，説到了陰差一見麗人，便失魂落魄的情形，倒也十分生動，而且陰差用催命環取人性命，直闖內室，想把曹夫人強搶走，這種種行為，都説明了他卑鄙下流的目的！

曹夫人貞烈無比，自殺而死，香消玉殞，陰差用盡心計設計的一個陰謀才落了空，但曹普照一家，就這樣不明不白送了性命，還形成了一直到六十年後，在一個出色的青年人身上，還負着「血海深仇」這樣的重擔！

白老大雙手握拳，恨聲不絕：「單是為了這件事，也要把他找出來——小衞，如你可以找到亞洲之鷹，你要多出點力。」

我立時大聲答應，白素呆了一下：「陰差好色，如果他還活着，只怕是老色霉，循這條路去找他的下落，只怕更容易些。」

白素一言提醒了我們，使我和白老大同聲叫「好」——連紅綾也叫了一聲「對」，表示她對我們商量的事，全都明白。

大約在幾天之後，我和白素在樓上，紅綾在樓下聽音樂，她很喜歡大鑼大鼓的敲擊樂，神情怡然自得，不時喝上一大口酒。

白素看着，忽然嘆了一聲，我立即知道她為什麼嘆息，就問她：「為女兒的事耽心。怕她沒有異性追求，沒有愛情生活？」

白素苦笑：「你看她這樣子，哪一個青年敢向她表示愛意？她其實什麼都懂了，總有一天，會為感情而煩惱，那時，別說我們，連她媽媽的媽媽都幫不了她。」

我們總是隨便說話，可是由於樓下鑼鼓聲喧天，也得提高聲音。

我對白素提出來的事，也很擔心，但也沒有辦法。白素忽然道：「好像有人按門鈴……還在敲門……」

我也隱約聽到有人在敲門，可是全被樂聲蓋了過去，我剛得大聲叫紅綾去開門看看，忽然「蓬」地一聲，門上竟穿了一個洞，一隻醋砵也似的大拳頭，自洞中直插了進來，看來是這大拳頭敲門太用力，把門敲穿了！

這一下，驚動了紅綾，一躍而起，在那拳頭剛縮回去時，就打開了門。門一打開，她先是一呆，接着，後退了一步，打量着門外結實高大無比的一個青年人。

那青年人濃眉大眼，正望着自己的拳頭，神情不知所措，一看到紅綾，也是一呆。

兩人就這標互相監視着，誰也不說話。

白素突然在我耳際低聲問：「曹全福。」

我連連點頭，那不是曹金福是誰。也只有他，才比我們的女兒還高一個頭：

突然之間，我和白素都「哈哈」大笑了起來——真正的開懷大笑，一面笑，一面間接下走去。

為什麼要笑，不必再明寫了吧！

（完）

勤十緣出版社書目

衞斯理科幻系列

1 電王 （三版）
2 黃金故事 （二版）
3 從陰間來 （十三版）
4 到陰間去 （十三版）
5 遊戲 （三版）
6 陰差陽錯 （八版）
7 禍根 （十八版）
8 生死鎖 （四版）
9 陰魂不散 （八版）

倪匡科幻系列

1 消失女神 （七版）
2 離魂奇遇 （六版）
3 困獸 （二版）
4 夜光 （二版）
5 神話世界 （四版）
6 妖偶 （二版）
7 四條金龍 （二版）
8 飛焰 （四版）
9 魔像 （四版）
10 鬼鐘 （四版）
* 11 通神

奇幻系列

△1 轉世 余 過著 （三版）
2 隔世寃 寬 齋著 （三版）
△3 殘酷蜜月 余 過著 （四版）
4 陰陽證 寬 齋著 （四版）
△5 重返前生 余 過著 （二版）
6 鬼惑 商魂布著 （二版）
7 公主墳 史國艮著 （二版）
8 追魂劫 商魂布著 （二版）
9 血誘 寬 齋著 （二版）
10 血雨艷桃紅 張 宇著 （二版）
11 十世仇 張 宇著 （二版）
12 老床 史國艮著 （二版）
13 電話追命 商魂布著 （二版）

* 即將出版　　△見余過四人夜話系列

多情系列

1. 三生石　孔　昭著　（一版）
2. 今夜沒有約　嚴　沁　梁鳳儀　等著　（二版）
3. 絕對討厭的女孩　羅穎思著　（一版）
4. 鬼城　賈平凹　梁鳳儀　等著　（二版）
5. 女兒經　程乃珊著　（一版）
6. 雲水依依　夏小詩著　（一版）
7. 道是無情　汪曾祺　羅芙榮　梁鳳儀　等著　（一版）
8. 燃燒彩虹　孔　昭著　（二版）
9. 魔少年　吳敬子著　（一版）

嚴沁浪漫小說系列

1. 夏之迷惑　（二版）
2. 無情谷　（四版）
3. 也是重逢　（二版）
4. 盈雪　（二版）
5. 長街　（二版）
6. 沉沉黑夜　（二版）
7. 燈火闌珊處　（二版）

漫畫系列

*1 六韜　王宣銘著
*2 智囊　王宣銘著

寫眞小說系列

1. 還似無情　張寶兒著　（二版）
2. 嫁後　張寶兒著　（二版）
3. 撲蝶　張寶兒著　（一版）
4. 回首已三生　張寶兒著　（一版）
5. 塵緣　張寶兒著　（一版）

名家系列

1. 冬雨　王　蒙著　（一版）
2. 男男女女　王安憶　張辛欣　等著　（一版）

*3 風過耳　劉心武著
*4 小人物自傳　老　舍著

* 即將出版

實用系列

1 兩餸一湯(一) 李曾鵬展著 (三版)
2 居室風水 芳草軒著 (二版)
3 風水新講場 宋韶光著 (七版)
4 兩餸一湯(二) 李曾鵬展著 (三版)
5 家庭實用療方 李　南著 (二版)
6 家事錦囊 李陳雅賢著 (二版)
7 職業婦女三餐樂 蔡麗容著 (二版)
8 斗換星移說命運 戴添祥著 (二版)
9 法律八寶飯 毛錫強著 (二版)
10 猴年運程 蔡興華著 (二版)
11 生意經 李寶光著 (一版)
12 名厨巧手菜 陳　東著 (二版)
13 靈測玄機 阿　樂著 (三版)
14 兩餸一湯(三) 李曾鵬展著 (二版)
15 九二年加國移民指引 霍子孟著 (二版)
16 鐵板神數趣談 阿　樂著 (三版)
17 吃雞百變法 蔡麗容著 (二版)
18 清潤湯水 李　南著 (二版)
19 實用抗癌藥膳 常敏毅著 (二版)
20 法律小錦囊 毛錫強著 (二版)
21 滋補粥品 戴麗嫦著 (二版)
22 改變生命的密法 邱　彰著 (一版)
23 家事萬靈通 李陳雅賢著 (二版)
24 豆腐百變法 蔡麗容著 (二版)
*25 保健素食精選 丁元義 王龍驤 編著
*26 風水百答 宋韶光著

奇案系列

1 撕票 林　蔭著 (一版)
2 千里追兇 捍衛者著 (一版)

推理小說系列

1 重殺 施　雨著 (一版)

余過四人夜話系列

1 轉世 (三版)
2 殘酷蜜月 (四版)
3 重返前生 (二版)
4 偷魂 (三版)

智慧系列

1 墨趣 謝宏中著 (一版)
2 箴言精選(增訂版) 何文滙著 (一版)
3 王子復仇記 何文滙著 (一版)
4 論道德的起源 尼　采著 周　紅譯 (一版)
5 藍田日暖 蔡炎培著 (一版)
*6 藝壇藝談 徐子雄著

經濟日報叢書

1 高官厚錄 陳毓祥等訪問錄 (二版)
2 力爭上游 姜趙玉蓮著 (二版)
3 人生網絡 麥華章著 (一版)

投資企管系列

1 香港股票投資勝著 譚廣流著 (三版)

* 即將出版

散文系列

1 不甘寂寞 邵國華著 （二版）
2 八方羣英 岑逸飛著 （一版）
3 廣告高興坊 潘啟迪著 （一版）
4 過眼雲烟 林　洵著 （一版）
5 兩談食性 王亭之 姚香雄 著 （一版）
6 倪震的心 倪　震著 （一版）
7 你不是我最好的朋友 鄭世安 林竺霓 著 （一版）
8 彷彿是昨天 黃　霑著 （三版）
9 妙不可言 朱維德著 （一版）

梁鳳儀散文系列

1 財來自有方 （五版）
2 誰可叮嚀 （三版）
3 再戰江湖 （三版）
4 不記當年 （三版）
5 心想事成 （三版）
6 勝者爲王 （三版）
7 一言驚醒夢中人 （三版）

梁鳳儀財經小說系列

1 醉紅塵 （十二版）
2 九重恩怨 （十二版）
3 花魁劫 （十四版）
4 信是有緣 （十一版）
5 鎖清秋 （八版）
6 惆悵還依舊 （八版）
7 飛越滄桑 （八版）
8 異邦紅葉夢 （十版）
9 笑春風 （十版）
10 昨夜長風 （八版）
11 誓不言悔 （五版）
12 激情三百日 （五版）
13 花幟 （八版）
14 强人淚 （八版）
15 今晨無淚 （八版）
*16 誰憐落日
*17 當時已惘然
*18 洒金箋
*19 有鳳來儀
*20 不再歸航
*21 世紀末的童話
*22 大風暴
*23 還我公平
*24 灔藍天
*25 西風逐晚霞

* 即將出版

親愛的讀者們：

希望你們會喜歡勤＋緣出版社的書籍。我們努力從事出版事業，若要有理想成績，必須獲得你們的支持、指導和勉勵！

尊重讀者的意見是我們工作的宗旨，因爲沒有你們的關懷，我們不可能進步。懇請你們把以下的表格塡寫，剪寄：香港德輔道中61號華人銀行大厦1108室，勤＋緣出版社收。

我們也會定期跟讀者保持聯絡，向你們報導有關本港暢銷書的出版情況、勤＋緣出版社的新書以及聯同屈臣氏書店或香港各大書店舉辦的讀者活動。敬祝

身心愉快！

梁鳳儀

一九九一年一月一日

敬請讀者塡寫以下表格

逕寄：香港德輔道中61號華人銀行大厦1108室勤＋緣出版社收

姓名：______________________

性別：____________ 年齡：____________

地址：______________________

____

電話：（公司）______________________

（住宅）______________________

傳眞號碼：______________________

意見：______________________

____

勤＋緣出版社